新聞、テレビ、ネットのニュースに

“違和感”を持つすべての人に

真実を見極める力

酒井綱一郎

SOGO HOREI PUBLISHING CO., LTD

はじめに

この本を書いた狙いは、「**見極める力を養う**」ことだ。別の言い方で言えば、「知的探求心を鍛える『ニュース脳』のつくり方」だ。

ニュース脳とは、ネガティブな意味ではなく、ニュースを深読みできる脳のことだ。

人工知能（ＡＩ）とロボットに、従来の仕事は奪われる時代になった。経理事務はコンピューターがやってくれる。製品は無人工場でロボットが作ってくれる。データはセンサーによって自動的に集められ、ビッグデータ解析によってマーケティング方法もＡＩが教えてくれる。

私たち人間は何をしたらいいのか。ＡＩにできないことは何か。

五感を働かせ、知性をフル回転させ、課題を設定し、未来に向けたビジョンとロードマップを作ることが求められる。

そのために必要な素養は、知識量ではなく、考える力、見極める力だ。

その力は、**探求学習によって高めることができる。**

今、教育の世界では、知識詰め込み教育から、課題を調べて考える「探求学習」の教育へと大きく舵を切っている。ロボットやＡＩの時代になり、記憶することに意味がなくなったからだ。「質問」がわかれば、「答え」はＡＩが出してくれる。

つまり、質問を考える時代になった。その方策が探求学習だ。

２０２２年度から使われる高校の教科書では、探求学習を重視した内容に変わる。日本史と世界史を関連付けながら、近現代史を学ぶ「歴史総合」の科目では、「近代化」「国際秩序の変化」「グローバル化」について資料を活用して学ぶ。新設される「公共」の科目では、「正義」「公正」「幸福」などの**正解のないテーマで考える授業が行われる。**

時代は、探求学習能力のある人物を求めている。

では、子どもたちが教科書を学習の素材とするなら、大人は何を題材に探求学習をすべきだろうか。報道に携わっている者として、ニュースがお勧めだ。

ニュースは時を選ばず、場所を選ばず、洪水のごとく大量の情報を私たちに押し流してくる。ニュースの洪水に溺れてしまうのか、上手に泳ぎ切るのか。いずれにしても、私たちを鍛える変幻自在の勉強素材だ。

しかし、そのニュースに疑念が持たれている。

ベストセラー『Ｔｈｉｎｋ　ｃｌｅａｒｌｙ』（サンマーク出版）の著者でスイスの知の巨人であるロルフ・ドベリ氏の近著『Ｎｅｗｓ　Ｄｉｅｔ』（サンマーク出版）は、ニュースを提供している立場の人間にとって、「失業しろ」と言われるほどの衝撃だった。

目次から見出しを拾ってみると、ニュースは害悪と言っているようなものだ。

- **ニュースは「時間の無駄」である**
- **ニュースは「体に毒」である**
- **ニュースは「思い違い」を強化する**
- **ニュースは「思考」を妨げる**
- **ニュースは私たちを「操作」する**

もっと凄いのは、**ニュースは「テロリズム」を助長する**、である。

「自由な報道は民主主義の存立基盤」と当たり前のように思ってきた。なのに、ニュースは民主主義の対極にあるテロリズムを助長する、と言い放つ。

著者は、２０１０年以降、新聞の購読をやめ、テレビのニュースも見ないし、ラジオも聴か

ない。インターネットニュースにも浸っていない。その結果、

「**人生の質が向上し、思考は明確になり、貴重な洞察が得られるようになった。イライラすることが減って、決断の質が上がり、時間の余裕もできた**」

と述べている。

『News Diet』では徹底してニュースを否定している。訳者の安原実津さんが「訳者あとがき」で、著者のドベリ氏が問題視するのは、次のようなニュースだと記している。

「起きた出来事の周辺事情を描き出したり、その問題点を追及したりするような類の報道のことではない。**主にネットで見られるような、新しい情報をできるだけ早く発信する点にのみ重きが置かれた短い記事のことだ**」

この話には、ホッとする反面、不安を感じる。というのも、ネットメディアに対抗して、「デジタルファースト」の方針のもと、既存メディアも新しい情報を速報することに重点を置くようになったからだ。

ネット広告で収入を得るためには、ニュースの質よりも量がポイントになる。そのため、手間のかかる調査報道や解説記事よりも、お手軽な速報、一次報道が優先される。なので、あながち、これはネットの短い記事だけに限られた批判なのかどうか。

ドベリ氏はニュース、特に短いニュースの何を問題視しているのだろうか。次のように解説している。

「情報の重要性よりも新しさに重きが置かれている危険性がある」

「逸話、スキャンダル、有名人に関する記事や災害の写真、それならコストをかけずにニュースができるし、紹介もしやすい」

私たちが興味本位に面白そうな記事をむさぼり読む習慣が、自分をむしばんでいるとドベリ氏は考える。

日本も例外ではない。まとめサイトなどが隆盛し、ネットニュースでは「アクセスランキング」や「コメントランキング」で、読まれるニュースがさらに読まれる構造ができ上がっている。情報はじっくり選ぶものではなく、目新しさに重点が置かれているのだ。

こうした状況でドベリ氏が推奨しているのが、週に1冊本を読むことだ。

「本当に重要なことは、良質な本を通して知る場合がほとんどだ」

インターネットで検索することも大事だという。

「グーグルで検索するのは問題ない！　インターネットは最高の知識の源だ」

そして記事を読むなら、「**調査報道**」と「**解説記事**」を読むことを勧めている。

本書は、結果としてだが、ドベリ氏の提案に沿った形になっている。ニュースを断つことはお勧めしないが、広い知識よりも深い知識を得るためのニュースの読み方を取り上げる。言い換えれば、ご一緒に「**ニュースの事例研究をしていく旅**」だ。

一つのニュースを読み飛ばすのではなく、一つのニュースの背景をしつこく追っかけてみる。インターネットで関連記事を検索したり、原典となる資料にあたったり、関係する本や論文を読んだりしてみる。時には、テレビの討論番組で専門家の切り口を参考にしてみる。

すると、薄っぺらい事象しか読み取れなかったニュースの背景や深淵部が見えてくる。いろいろな事例を実際に読み解きながら、考えるクセをつけていきたい。

この本は、編集者の板橋正時さんと考えた本だ。彼に感謝したい。20年以上出演しているTBSラジオの「森本毅郎スタンバイ!」でご一緒しているパーソナリティの森本さんには、雑誌記者の私とは異なる視点で、これでもかこれでもかと鍛えてもらった。この本には森本さんから鍛えられたエッセンスも盛り込まれている。森本さんに感謝したい。

2021年6月　酒井綱一郎

CONTENTS

chapter 03

縁遠い海外ニュースを「自分事」にする

chapter 04

為政者の思惑でニュースが動く

CONTENTS

chapter 05

「原典」にあたれば真相が見えてくる

chapter 06

数字を疑い、数字に頼る

chapter 07

割り切れないニュースは徹底的に対峙する

CONTENTS

ブックデザイン／別府拓（Q.design）
ＤＴＰ／横内俊彦
校正／東京出版サービスセンター

chapter 01

その言葉(キーワード)に気をつけろ

耳当たりの良い言葉の裏側に隠された意図を探り当てる

～情報に触れたときの〝違和感〟を大切にせよ～

言葉がいかに大切かを教えてくれたのは、小泉純一郎内閣で経済財政政策担当大臣や郵政民営化担当大臣を務めた竹中平蔵氏だった。世間からの評価は大きく二分される人物だ。

２００７年10月に日本郵政グループが発足したわけだが、その民営化を果たしたのが、竹中氏だった。直接インタビューしたときだったのか、何かの講演会のときだったかは定かではないが、竹中氏は、官僚が言葉の使い分けで抵抗してきた逸話を紹介した。

小泉内閣は、２００４年9月に「郵政民営化の基本方針」を決定した。基本方針は、日本郵政公社を２００７年4月に5つの会社に分けて民営化すること、遅くとも10年以内の移行期を経て最終的な民営化の姿を実現することなど、民営化の大枠を決めたものだった。

その結果、日本郵政グループが発足した。

竹中氏が民営化するために担当大臣になると、官僚たちは「**民営化をやりましょう**」と歩調を合わせてきた。こういったとき、多くの大臣は官僚の甘言につられて、「あとは任せた」となる。ところが、竹中氏は「**戦略は細部に宿る。細部まで設計することが重要だ**」と、官僚任せにしなかった。

例えば、法案の文面を作ったとき、官僚が「**完全に民営化**」という言葉を使ってきた。竹中氏が郵政の「完全民営化」を求めたことに対する答えだ。何の問題もないと思うかもしれないが、そうではない。

「完全民営化」と「完全に民営化」。「に」が入るだけで何が違ってくるのか。学校の国語の授業なら、まったく同じ意味としか説明のしようがない。違うとしたら、まったくの詭弁(きべん)でしかない。

そう、官僚の世界では詭弁がまかり通る。それが、ニュースとなって、メディアの読者まで騙す。だから、ニュースは人々を惑わすことがあるのだ。

詭弁の論理展開を見ていこう。

「完全に民営化」の意味は、3つの事業があったら、そのうち1事業だけでも民営化すれば、「完全に民営化」となるという。「完全民営化」なら、全事業を例外なく民営化することを意味

する。

言葉遊びのようだが、これが官僚たちが抵抗するときの言葉の使い方だ。

民営化といっても、いくつか種類がある。まず1つ目は竹中氏が目指した、日本郵政公社が民間の会社になる完全民営化だ。

2つ目は、特別な法律を作って政府が出資するNTT（日本電信電話）のような民営会社。

3つ目は、政府は出資しないが法律で縛って政府のコントロール下に置くやり方。

完全民営化以外の民営化は、官僚のコントロールを温存する点で小泉政権が目指したものではなかった。

竹中氏は理詰めなら強い学者出身。戦略は細部に宿るという方針で官僚の詭弁を許さなかった。

竹中氏の逸話でなくても、役所言葉が意味不明なのは、よく知られている。

「善処します」と言えば、「やらないこと」。

「前向きに検討します」は、「考えてはみるけど、やりません」の意。

政治家や政府は言葉を巧みに扱う。だから、**「言葉に気をつけろ」は一般のニュースでも鉄**

則である。使われる言葉には隠された意味があるからだ。

「グリーン成長戦略」に透ける政府の思惑

菅義偉首相は2020年10月、国会で所信表明演説を行った。

所信表明演説は、新たに選出された首相が臨時国会などの場で国政方針を示すときなどにする演説だ。施政方針演説は、通常国会の場で1年間の政府の方針を示す演説で、年初に行うことがほとんどだ。

所信表明演説で菅首相は、次のように語った。

「菅政権では、成長戦略の柱に経済と環境の好循環を掲げて、グリーン社会の実現に最大限注力してまいります。我が国は、**2050年までに、温室効果ガスの排出を全体としてゼロにする**、すなわち2050年カーボンニュートラル、脱炭素社会の実現を目指すことを、ここに宣言いたします」

画期的な表明のように聞こえる。それまで日本は「2050年までに80%削減する」としか言っていなかった。温室効果ガスをゼロにできず、中途半端な目標だった。

本章の後半で紹介する自動車については、2021年1月の施政方針演説の中で、「**2035年までに、新車販売で電動車100%を実現いたします**」と宣言した。

温室効果ガスをゼロにする宣言は、もちろん菅首相の専売特許ではない。

バイデン大統領が2021年1月に就任すると、米国は、温暖化対策の国際的枠組み「パリ協定」に復帰した。パリ協定では、2050年までに世界全体の温室効果ガスの排出を、森林吸収分を除いて、実質ゼロにすることを目標に掲げた。そのため、世界120カ国が「2050年に実質ゼロ」を掲げていた。

ようやく日本も同じ目標値の仲間入りし、米国もパリ協定への復帰で主導権を握り出した。

なお、菅首相は、2013年度比で「温室効果ガスを46%削減する」と新たな目標を打ち出したが、この46%削減は、温室効果ガスのゼロ目標に向けた途中段階である2030年の目標に過ぎない。

ニュースを読み進めていくのは、ここからが本番だ。

温室効果ガスの実質ゼロを実現するため、日本政府は「グリーン成長戦略」を掲げた。具体的には、洋上風力発電の普及、蓄電池の活用、水素発電の拡大など次世代技術を花開かせる内容だ。

官僚が作っただろう所信表明演説と施政方針演説。何かしてくれと頼むと官僚は「前向きに検討します」と言葉を濁すのに、遠い将来の話なら、膨らむだけの夢を盛り込む。

ここで**惑わされてはならないのは、「グリーン成長戦略」というきれいな言葉であり、「温室効果ガスをゼロ」という夢物語である。**

こうした政府のニュースを読んだときは、言葉に隠された意味を推察しないと、深読みはできない。ずばり、**「温室効果ガスをゼロ」とは、原子力発電の復権を言っている。**

どういうことか。

国は、どんな種類のエネルギー源で日本が必要な発電量をまかなうかを計画している。それが「エネルギー基本計画」で、２０３０年の目標値は次のようになっている。

- **原子力発電20～22%**
- **火力発電56%**（石炭火力、天然ガス火力、石油火力を含む）
- **再生可能エネルギー22～24%**

温室効果ガスをゼロにしていくには、当然、火力発電を減らしていくしかない。残された道は、原発を増やすか、再生可能エネルギーを増やすかだ。

ご存じの通り、東日本大震災にともなう東京電力福島第一原発事故から2021年3月で10年を迎えた。その間、原発発電量の比率を増やすことは、国民が許さなかった。

2030年度の電源構成について2021年夏までに改定。原発の比率をよほど下げるのかと思ったら、事実上動かしていない。

ここで原発比率20～22％の数字に隠された意味を読み解いておく必要がある。

動いている原発9基から計算すると、原発発電比率は現在6％だ（最新の数字では4・4％に下がっている）。**原発比率を20～22％に高めるには、30基ほどの原発を動かさないといけない。**

グリーン成長戦略というきれいな言葉の背後には、30基の原発を動かす前提があるように見えるというわけだ。

原発が9基のままで、2050年に温室効果ガスをゼロにするためには、政府は再生可能エネルギーの現在の目標値である22～24％を80％、90％へと高めないと無理だ。

だが、現在の再生可能エネルギーの比率は、日本が18％ぐらい。2021年の改定では、「30％台後半」にするのがやっとだ。ドイツが45％、英国42％。グリーン成長戦略と言うなら、再生可能エネルギーの比率をドイツや英国以上に持っていく覚悟を示すのが、政治家の責任だが、それはない。

なんとなく、「やはり原発が必要だよね」という専門家や世論の声を待っているのが、現状の政権である。

所信表明演説、施政方針演説がいかに砂上の楼閣かがおわかりいただけたのではないか。

「ニュースの言葉」にこだわってニュースの深部を追っかけていくと、腹立たしささえ感じる。ニュースを深く読む価値はそこにある。

電気自動車と電動車を巡る国内外の思惑

ニュースを深く読むコツの一つは、違和感を感じることだ。しかも、極端に「ああ、そうなんだ、ビックリ」とか「えぇ、そうなの!?　違うんじゃないか」とニュースを読みながら、自分の喜怒哀楽を利用することである。

温室効果ガスゼロにつながる次のニュースを読み比べてみてほしい。

まず国内の話。

・東京都は、２０３０年までに東京都内で販売される新車すべてを電動車に切り替える方針を表明した。
・政府は、２０５０年の温暖化ガス排出ゼロに向けた実行計画「グリーン成長戦略」をまとめ、２０３０年代半ばに国内の新車をすべて電動車に切り替える方針を決めた。

次は海外政府の話だ。

・カリフォルニア州知事は、州内の新規乗用車販売について、２０３５年からすべて電気自動車（ＥＶ）など排ガスを出さない車にするよう義務付ける行政命令に署名した。
・ノルウェーで２０２０年に販売された新車のうち半数以上が電気自動車だったことがわかった。

自動車メーカーの動きについても触れておく。

・日産自動車は、2030年代の早期に日米など主要市場に投入する新型車をすべて電気自動車などの電動車にすると発表した。
・米ゼネラル・モーターズ（GM）は、2035年までにガソリン車やディーゼル車の販売を取りやめ、電気自動車など二酸化炭素（CO2）を排出しないゼロ・エミッション車への全面移行を目指す。
・米フォード・モーターは、欧州で販売する乗用車を2030年にはすべて電気自動車にすると発表した。

クルマが生み出す排ガスは、地球温暖化を進行させる主要原因になっており、世界的に重要な課題となっている。ここに紹介した一連のニュースは、各国政府、各自動車メーカーが、そうした排ガスを出さないクルマを売り出すのが共通テーマになっている。

しかし、これらのニュースに違和感を抱かないだろうか。

「同じようなテーマなのに、出てくる言葉、キーワードがバラバラ」と思えたら、一歩も二歩も前進だ。実際に出てくる言葉を見ていくと、キーワードは次のようになっている。


「電動車」

「電気自動車」

「排ガスを出さない車」

「ハイブリッド車」

「ゼロ・エミッション車」


どれも同じような、いや、しかし似て非なる言葉にも思える。

これはどういうことなのか。ニュースによって、似ている言葉が使われていたら、要注意だ。ニュースを読むときは、発表する側、書く側の意図を、こうしたキーワードから読み取る必要がある。

「なぜ電動車と書くのだろうか。電気自動車と書けないからだ」と思い至れば、そのニュースの真実に一歩近づいたことになる。

この章のテーマは、「その言葉（キーワード）に気をつけろ」である。ここに示したニュースの事例を分類してみると、日本政府や日本メーカーなどの日本勢は「電動車」という言葉を多用している。海外勢は、「電気自動車」や「ゼロ・エミッション車」の言葉が多い。

どうも、**海外勢は「電気自動車」に熱心だが、日本勢は「電動車」にこだわった印象を受ける。**

ではその二つは何が異なるのだろうか。

電気自動車は電気で動くクルマだからわかりやすい。一方、電動車の定義は次のようになる。

「電動車とは　動力に電気モーターを使う自動車のことで、電気自動車（EV）と燃料電池車（FCV）、ハイブリッド車（HV）、プラグイン・ハイブリッド車（PHV）の総称である」

つまり、電気自動車は電動車の種類の一つということになる。

ここで説明を加えたい。

経済産業省が、自動車メーカー、エネルギー企業、地方自治体と一緒に設立した「電動車活用社会推進協議会」は、電動車を広く利用しようとしている。

経済産業省は2019年4月に次のコメントを発表している。

「電気自動車、プラグイン・ハイブリッド自動車、燃料電池自動車の**蓄電・給電機能を災害時に活用することや、エネルギーシステムの一部として活用する**ことの社会的な期待が高まっています」

走るクルマとしての電動車だけではなくて、災害時などのエネルギー源として電動車の蓄電、給電機能を活用しようという狙いまで持っていることがわかる。

実際、2019年の台風15号の際は、停電が長引く千葉県内の被災地に自動車メーカーが電動車を提供。携帯電話の充電をはじめ、エアコン、扇風機、冷蔵庫、洗濯機、夜間照明、地下水汲み上げポンプなどへの電力供給を行った。

本題に戻ると、どうして日本勢と海外勢では、考え方が違うのか。推理小説風に言えば、次の問いに答えを出さねばならない。

「犯人（日本政府並びに日本車メーカー）はどうして電動車にこだわったのか」
「その動機は何か」
「電動車にこだわるに至らせた原点、歴史的経緯は何か」
「背後にうごめく思惑はないのか」

という問題を解かねばならない。

日本車メーカーが電動車にこだわったのは、**表の動機と裏の事情がある。**

表の積極的理由は、電気自動車オンリーになっても、温室効果ガス、二酸化炭素の排出問題は大きく変わらないと考えているからだ。

「え？」と思った読者もいるかもしれない。

ちょっと説明を加えておくと、温室効果ガスは二酸化炭素と同義語ではない。二酸化炭素、メタン、一酸化二窒素、代替フロンなどの7種類のガスが温室効果ガスとして定められている。温室効果ガスが増えると、地球の温度が上がり異常気象が増える。

確かに電気自動車は走行時に二酸化炭素を排出しない。しかし、**クルマの製造工程まで入れたら、電気自動車もガソリン車も排出量はどっこいどっこいとの見方が強いのである。**

私はニュースに疑問を持ちだしたら、できれば専門家に直接聞く。しかし、毎度毎度そんなことはできない。そこで普段は、大学や研究機関、コンサルティング会社が公開している論文、レポートを読み比べている。

早速、グーグルで「電気自動車　製造工程　排出量　ｐｄｆ」と入力して検索してみた。ｐｄｆと検索キーワードに入れるのは、論文やレポートが検索されやすいからだ。

「経済レポート情報」というサイトもよく使う。国の白書から研究機関のレポートなど40万件以上の論文が集められていて、検索で探せる。

このとき参考にしたのは、ゴールドマンサックスという金融機関の調査レポートだった。そこには次の趣旨のことが書いてあった。論文の言葉が難しいので、引用ではなく、専門用語を排した意訳としたことをお許しいただきたい。

「フォルクスワーゲンやマツダの報告でも、クルマを原材料の調達、製造、走行、廃棄までのライフサイクルで見た場合、**電気自動車が生まれてから廃棄されるまでに出てくる二酸化炭素の排出量は1万2000キログラム。それに対して、ガソリン車の排出量は6000キログラム。電気自動車はガソリン車の2倍の排出量の値になっている**」

ライフサイクルという言葉がでてきた。一般にはクルマが販売されて廃車になるまでの排出量が議論になるが、それでは地球温暖化の議論に適しない。クルマが作られてから廃車になるまでのライフサイクルでの二酸化炭素の排出量を調べるのが妥当というのだ。

言い換えるなら、「生涯排出量」という言葉がわかりやすいだろうか。

クルマの生涯排出量なら、電気自動車のほうが2倍も二酸化炭素を排出しているという衝撃的分析だ。

だから、電気自動車が地球環境問題の解決にはならない、というのが日本車メーカーの代表的意見である。

日本自動車工業会の豊田章男会長（トヨタ自動車社長）は、２０２０年12月の記者会見で次のように述べた。

「ガソリン車を廃止しましょう、ＥＶ（電気自動車）化にしましょうと言われます。マスコミ各社も電動化イコールＥＶ化と報道します。乗用車４００万台をＥＶ化したらどういう状況になるか、試算してみました。夏の電力使用のピーク時には電力不足に陥る。これは、**原発でプラス10基、火力発電ではプラス20基必要なレベルです**」

日本のクルマがすべて電気自動車になったら、原発がさらに10基必要だという議論は傾聴に値する。だが豊田会長が正論を主張しても、欧州を中心に海外の政府は、クルマの一生涯で考えたら、電気自動車が優位とは言えない、との考え方に聞く耳を持たない。

この項の冒頭に記したカリフォルニア州のガソリン車禁止のニュースもそうだが、特に欧州を中心に、ガソリン車を将来禁止する国が増えている。

・英国は、２０３０年までにガソリン車とディーゼル車の新車販売を禁止し、35年までにハイブリッド車も禁止する。
・フランスは、2040年までにガソリン車の販売を禁止する。

それに呼応するように、欧米の海外自動車メーカーは、電動車には目もくれず、電気自動車の生産・販売にターゲットを絞ってきている。びっくりするのは、次の動きだ。

・走りが命のはずの英ジャガーが、2025年にはガソリン車をやめ、電気自動車に100%切り替える。

日本車メーカーが電気自動車にすんなり移れない理由には、裏の事情もある。ハイブリッド車での成功を捨てきれないからだ。

トヨタ自動車の電動車販売比率は2020年に20%を超えた。その中身を見ると、事情がわかる。

- **ハイブリッド車190万5941台**
- **プラグイン・ハイブリッド車4万8513台**
- **燃料電池車1770台**
- **電気自動車3346台**

電気自動車の販売数は、ケタを間違えているわけではない。4000台に達していない。電気自動車専業メーカーのテスラの2020年の世界販売台数は、ほぼ50万台近く。2019年の36万台レベルから4割近く伸びた。テスラはさらに、2022年までの電気自動車の年間販売台数が100万台を超える見通しを明らかにしている。

このような状況から、**トヨタをはじめ日本車メーカーはなんとしても、ハイブリッド車での優位を温存したい。**

各国が電気自動車にシフトしてしまったら、長年かけて築いてきた圧倒的優位を一瞬にして失うことになるからだ。トヨタなど日本車メーカーが「電動車」にこだわる理由はそこにある。

さらに、もう一つ後ろ向きの理由がある。**軽自動車市場の温存だ。**

軽自動車は日本国内だけしか通用しない。国際的に見れば、いびつな存在だ。なのに、国内で保有されているクルマの4割を軽自動車が占めている。車体価格が100万円前後と安いし、日本の狭い道路もスイスイ走れる。排気量は660cc以下なのだから、燃費もいい。

そこへ軽自動車よりも燃費のいい電気自動車が普及したら、軽自動車市場が縮小してしまう。そんな危機感を日本車メーカーは持っている。

私がこう解説すると、自動車工業会の豊田会長は、「それは間違った見方だ」と反論するだろう。記者会見で次のように豊田会長は言っている。

「軽自動車は日本の国民車です。軽自動車しか走れない道が日本は85%です。軽自動車がなくても都会では生活できても、地方では（軽自動車しか走れない道路と軽自動車が）ライフラインになっている」

日本の道路の8割が軽自動車しか走れないというのは、本当だろうか。調べてみると、日本の道路の85%が道幅が3・8メートルの狭い市町村道だ。軽自動車の車幅は1・48メートル以下なので、軽自動車でないと対向車とのすれ違いは難しい。

「道路が狭いのなら電気自動車が少なくて軽自動車を国民車とする日本では、ハイブリッドを含めた電動化が現実的なんだろうね」

と豊田会長を支持する人もいるだろう。

一方で、

「軽自動車を電気自動車に変えるのは難しいことじゃないだろう。実際、中国では50万〜60万円ほどで買える小型の電気自動車が普及しているじゃないか」

という反論もあるだろう。

調べてみると、中国の小型電気自動車の人気は凄い。国有企業の上汽（しゃんちー）集団と米ゼネラル・モーターズ（GM）が出資している五菱汽車（うーりんきしゃ）（汽車は自動車のこと）が売っている「宏光（ほんぐあん）ミニEV」は日本円で45万〜60万円。4人乗りで、最高速度は時速105キロ。航続距離は160キロ程度だが、2021年3月時点で累計販売台数20万台を記録する大ヒットとなっている。

肝心のクルマの大きさは全長2・9メートル、幅1・5メートルで、ほぼ日本の軽自動車と同じ。日本の市町村道でも余裕をもって走れる。

「軽の電気自動車を普及させれば、電気自動車でも問題ないでしょう」

と言う声が聞こえてきそうだ。

日本の自動車メーカーが電気自動車の普及に躊躇するもう一つ理由があるとしたら、**電気自動車になると、参入障壁が格段に低くなって、ほかの業界からの参入が相次ぎ、競争が激化するからだ。**

国際的には、既にアップル、アリババ集団、中国検索サービスの百度（ばいどう）などIT企業が参入している。日本でも、出光興産、ヤマダ電機、佐川急便などが電気自動車事業に乗り出そうとしている。ソニーもEV生産の機会をうかがう。自動車メーカーからは、「電気を充電するインフラにどれぐらい資金が必要かわかっているのか」という声もあるだろう。それぐらい、意見の分かれる電気自動車である。

いかがだろう。

言葉の使い方に注目することで、それまで通り過ぎていたニュースから、自動車メーカーのいろいろな思い、迷い、隠し事が読み取れる。

メディアの報道に混在する質の低い記事

ニュースは平板に読んでいたら、何も得ることができない。**疑って読む、驚いて読む、違和感を覚えたら調べてみる。**そうすれば、深い読み方ができるようになる。

だったら、読者を惑わすようなニュースの報じ方をやめてくれればいいじゃないかと思ってしまうだろう。しかし、企業や政府などの発表をそのまま報じる第一報の発表記事では、メディア側は発表を読みやすく変えるだけであまりいじらない。

読むべきは、発表の内容に解説をつける**解説記事**や取材を深めて独自の切り口で書く**調査報道**だが、こうした価値ある記事は有料であることが多い。ネットに流れるニュースの多くは、無料だが発表する側のプレスリリースをほぼそのまま流す発表記事か、それに毛が生えた程度の記事だ。

例えば、日産自動車の2021年1月のプレスリリースはこうだ。

「日産自動車株式会社（本社：神奈川県横浜市西区、社長：内田 誠）は、（中略）2030年代早期より、主要市場に投入する新型車を**すべて電動車両とする**ことを目指し、以下の戦略分野において、**電動化**と生産技術のイノベーションを推進します」

それがメディアでの発表記事となると、次のようになる。毎日新聞から引用する。

「日産自動車は27日、２０３０年代早期に主力市場の日本、米国、中国と欧州で販売する新型車をすべて電気自動車（ＥＶ）やハイブリッド車（ＨＶ）などの電動車に切り替えると発表した」

電動車とは何かを付加した記事だが、プレスリリースの中身を大きく修正しているわけではない。

一方で、同じニュースを扱いながら、誤認させるネット記事もあった。

「日産自動車は27日、２０３０年代の早期に日本、中国、米国、欧州の主要市場に投入する新型車を全て電動化すると発表した。電気自動車（ＥＶ）とハイブリッド車（ＨＶ）の新車開発や技術革新を進め、世界的な『**脱ガソリン**』車の潮流に対応する」

ご丁寧にも、脱ガソリンの潮流に対応するためだと、日産の動機を解説した一文を入れている。しかし、この章を読んでいたら、「電動車」と「脱ガソリン」が矛盾したキーワードであることを理解いただいているはずだ。

最後に、この原稿を書いている2021年4月下旬、ホンダは大胆な決断を下した。

・ホンダは、2040年までに世界で売るすべての自動車を電気自動車か燃料電池車にする。

「脱ガソリン車」への全面移行を表明したのは、日本車メーカーでは初めてのことだ。ハイブリッド車も売らないということだ。海外でのシェアが高いホンダも、世界的な脱ガソリン車の流れに乗らざるを得なかった。

chapter 02

世界見て
我が振り直せ

世界の情勢を知ることで日本の現在地を理解できる
～比較することで未来を占う～

滅多にNHKの大河ドラマを見ない私も、日本資本主義の父である渋沢栄一を描くとあっては興味津々。『青天を衝け』を録画で見ている。

日本人の凄いところは、カメレオンのように身を変えるのが早いことだ。

幕末、「尊王攘夷」を唱えて王（天皇）を敬い、外敵（外国）を撃退しようとする思想が日本国にまん延。渋沢栄一ですら、若いころ、外国人排斥の攘夷運動にかぶれる。

ところが、明治の時代（1868～1912年）が始まると、考え方が180度変わる。日本人のプライドが許さないのか、「富国強兵」「殖産興業」の名のもとに近代化を進めたが、実態は「**欧米模倣**」で、日本の手本は欧米列強だった。

廃藩置県（1871年）の数カ月後には、岩倉具視を団長とする岩倉使節団を海外に派遣。

主目的の不平等条約改正の交渉では得るものはまったくなかったが、ウィーン万国博覧会に立ち寄るなど欧米の豊かな経済・生活を目の当たりにした。欧米に学び、短い期間に鉄道や電話、郵便といったインフラを整備し、綿糸や生糸の大量生産に乗り出した。

時を前後して、私が育った鹿児島は、幕末に英国との薩英戦争を仕掛けるが、木っ端みじんにやられる。英国の捕虜になった五代友厚（ごだいともあつ）が、

「西洋の技術を習得して国の発展を成し遂げるべきだ」

と進言し、薩摩藩は、鎖国中にも関わらず、１８６５年に薩摩藩遣英使節団を英国に送り出している。五代は、渋沢と並び称せられる明治の大実業家だ。ＮＨＫの朝の連続テレビ小説『あさが来た』で詳しく紹介されたのを覚えている方もいるはずだ。

海外に倣ったのは、渋沢も例外ではない。渋沢は、江戸末期に最後の将軍・徳川慶喜の弟である徳川昭武に随行して欧州に渡った。渋沢はのちに「一番役立つ旅だった」と述懐しているほどだ。

ここで何が言いたいのか。

日本近代化の父たちは、「人の振り見て我が振り直せ」ではなく、「**海外見て我が振り直せ**」

だった。

常に海外の情勢を意識し、海外との比較において自分たちの政治や経済、生活の進歩度を見比べてみる。これは、ニュースを読み込むポイントの一つにも当てはまると思う。

海外のことを知らず、日本のことを評価するのはとても難しい。

洋上風力発電市場の発展と技術に付く疑問符

ここでは、「日本は凄いだろう」という勘違いを、海外を見て認識していく。

次のニュースを見てほしい。

・政府は2020年12月25日、2050年の脱炭素化に向けた「グリーン成長戦略」を発表した。

今後、エネルギーはできるだけ電気でまかない、電力部門では再生可能エネルギーの導入を加速させる。菅首相が「**2050年までに温室効果ガスの排出を実質ゼロとする**」方針を打ち出したため、再生可能エネルギーに突然注目が集まった。

再生可能エネルギーの目玉は、洋上風力発電だ。グリーン成長戦略によれば、2040年までに洋上風力発電で原発30基から45基分のエネルギーをまかなう目算だ。しかし、政府が突然大風呂敷を広げたこの洋上風力発電について、少なくとも原発30基分以上のエネルギーを生み出せるのか、疑問が湧く。課題はないのだろうか。

身もフタもないが、結論を先に言おう。

日本は洋上風力発電では、初心者マークもついていない段階。もしかしたら、運転免許も取得できていない段階だ。

現実を説明する。

洋上風力発電は、沖合の海の中に設置し、海風の風圧でブレード（羽根）を回すことで発電する。簡単に言えば、海の上の風車だ。

設置方式は2つの種類があって、陸の近くだったり、遠浅だったら「**着床式**」で、海の地面に固定するタイプ。欧州は遠浅が多いので着床式が主流だ。

一方、日本はすぐに水深が深くなるので、風力発電を海の上に浮き輪のように浮かせる「**浮**

体式」が多くなる。

現在、福島県沖や千葉県銚子市の沖などに洋上風力発電が設置されている。これは政府の実証実験に民間企業が参加する形でスタートしたもの。福島県沖は浮体式、銚子市沖は着床式で実験をしている。各地での本格稼働はこれから準備という段階だ。

風車の羽根が大きければ大きいほど発電量が増えるので、欧州では洋上風力発電の大型化が進んでいる。羽根の先端の高さが２５０メートルを超える洋上風力発電施設を開発、運転されている。東京都庁の建物高さが２４３メートル、東京タワーの高さが３３３メートルだから、私たちが目にする風車のイメージとはかけ離れた巨大な風車だ。

日本は普及面も技術力も産業基盤も後進国だが、日本の洋上風力発電にポテンシャルがないわけではない。海に囲まれた国で、設置するところがたくさんあるからだ。

ただし、現状で見れば、準備運動をしている段階で、スタート台に立っていない。

驚くべきことに海の上での設置、運営ルールが法律上決まったのは、２０１９年。「**再エネ海域利用法**」が施行されたときだ。原発優先で再生可能エネルギーに後ろ向きだった日本政府の姿勢が結果としてここに出ている。民間企業などが海域をどう占有できるのか、漁業や航行する船舶との関係をどう調整するのか、などのルールがようやく決まった。

どの海域に設置していいか、設置してほしいのか。その重点地域も全国11カ所が指定された。

その中で、地元の合意が得られていて、すぐにも動き出せる地域として4地域を選んだ。千葉県の銚子市沖、長崎県の五島市沖、秋田県の沖2カ所だ。

政府はさらに全国各地域の導入量の目標を公表しているが、北海道、東北、九州が多く、この3地域で全国の8割を占めている。

ここから海外の現況を見ておこう。まだ絵にかいた餅状態の日本と比べてほしい。

検索エンジンで「欧州 洋上風力発電」で画像を検索する。英国、欧州大陸、北欧に囲まれた北海の海上に風車が所狭しと並ぶ写真が出てくる。それは壮観だ。先ほども述べたように、欧州は「着床式」が主力だ。それは、北海が沖合40キロメートルまで遠浅が続き、着床式発電に適しているから。

欧州の状況は次の通りだ。

・EUは2030年までに域内のエネルギー消費に占める再生可能エネルギーの割合を少なくとも57%にまで高める目標を掲げている。その中で、洋上風力発電が再生可能エネルギーの主力電源になっている。

・欧州は既に洋上風力発電だけで12ＧＷ（ギガワット）分が稼働している。２０２０年12月には、２０５０年の目標を原発３００基分に引き上げた。

ＧＷ（ギガワット）という発電の単位が出てくる。１ＧＷで原発１基分と覚えておくといい。さらに、最新の状況を一般社団法人「日本産業機械工業会」が出している「２０２１年４月号 海外情報」というレポートから引用する。

・２０２０年のＥＵ27カ国の新規風力発電設備は10・５ＧＷであった。

コロナ禍であっても欧州では、着々と陸上分も含めた風力発電を増やしている。その中で洋上風力発電はどれぐらいだろうか。

・欧州では洋上風力が新規設置の20％を占め、２０２０年には2・９ＧＷの容量が新たに送電網に接続された。

・オランダがその半分を設置し、次いでベルギーが洋上風力について記録的な設置量となった。

２０２０年だけで原発約3基分の洋上風力発電が送電網に接続されたということは、実際に電気の源として使い始めたと判断できる。そして忘れてならないのが、設備メーカーの存在だ。欧州は、スペインやデンマークの洋上風力発電メーカーが世界の1、2位の座を占めており、自力でコストダウンがしやすい。

古い原発の再稼働で右往左往している日本は、ワクチンだけではなく、エネルギー源でも後進国になりつつあるのだ。

ほかに注目すべき国はどこか。お隣の中国だ。

中国の洋上風力発電設備の新設が急増している。２０２０年の新設容量は中国が世界の新設容量の4割に達した。その結果、**中国が新規設置分では世界一に躍り出ている。**

世界風力会議（ＧＷＥＣ）によれば、**２０３０年に洋上風力発電の設備容量で中国は世界最大の国にのし上がる**と予測する。

２０３０年の世界の洋上風力発電量は、２３４ＧＷ、原発２３４基分になる。そのとき、新設分だけではなく、既設分も含めた数で中国が一番になる。中国の凄さは、太陽光発電でもそうだったが、たちどころに洋上風力発電の設備を作れる会社が立ち上がることだ。実際、**タービンメーカーとしてトップ10企業に3社が入っている。**

では、日本はどうなるのか。

2040年までに、原発30基から45基分の電気を洋上風力発電でまかなうという日本政府の構想は実現できるのか。

国家を挙げて洋上風力発電に力を入れないと、**実現は無理だ**。

2020年、日本の洋上発電の課題を突き付けた事業撤退の事例があるので、それを紹介しよう。


「福島浮体式洋上ウインドファーム」という施設で、福島県の沖合に作った洋上風力発電がある。2012年から国の委託を受けた東京大学、丸紅、三菱重工業など名だたる大学、企業連合のチームが実証実験をしてきた。

浮体式の風車を当初3基、その後2基を運用。東日本大震災からの復興のシンボル事業にしようと意気込んだ。遠浅が少ない日本の沿岸での設置を見越して、浮体式にしたのだ。

ところが最近、9年間で600億円の国費をつぎ込んだ末に洋上発電設備を撤去すると報道されている。国は民間事業者に設備を引き継ぎたいと考えたが、希望した民間事業者が主体でやっても採算が合わないことがわかり、2021年中に撤去することになった。

しかも、当初は3基の風力発電を動かしていたのだが、出力の大きな設備が2018年に不具合を出して撤去。残る2基も、稼働率が商業ベースに乗ったのは、一番小さな設備だけだった。

この実証実験から、日本が洋上風力を普及させるための課題が浮かび上がる。

①**新技術の確立**＝欧州に多い着床式に比べて浮体式の新技術の確立が課題
②**コストの低減**＝浮体式は着床式よりも工費が高いため、コストをどうやって下げていくか
③**送電網の構築や送電コストの低減**＝洋上風力発電が多く設置される北海道や東北、九州から、電気を大量に必要とする首都圏や中部・関西圏までの送電網や送電コストの問題

銚子沖で運用している着床式だと、欧州でのノウハウを生かせるし、コストもかからないので、着床式を増やしていくのも選択肢だが、遠浅の海となると場所があまりない。**洋上風車を作れる工場が日本にはないのもネック**で、風力設備を作れる外資の工場の誘致をすることもハードルの一つだ。

そういった状況で、一歩前進しそうな話が出てきた。

・東芝と米ゼネラル・エレクトリック（ＧＥ）が国内の洋上風力発電の事業で提携することになった。

東芝はＧＥから技術指導を受けて風車の基幹設備の生産、設備の保守で協業する。まだ遠くの山を眺めながら、「さあ、これから登ろう」というのが日本の現状だが、うまくいけば大量の電気を作れるのが洋上風力発電のメリット。風力発電に関係する企業や人材を育てれば、今後成長市場になるアジアへの輸出もできる。

世界を見回せば現実がわかる。現実をわかったところから、次なる課題が浮き彫りになる。海外と国内の現状を比べてみれば、厳しい現実とかすかな将来への希望が読み取れるはずだ。

トヨタ「ウーブン・シティ」の可能性と課題を世界に見る

トヨタ自動車が静岡県裾野市に未来都市をつくることが話題となった。このニュースに触れたとき、最初に湧く疑問は、こうだった。

- **自動車メーカーのトヨタがなぜ未来都市をつくるのだろうか。**
- **未来都市といっても、どれぐらい実現性のある構想なのだろうか。**
- **トヨタの未来都市が成功する条件は何だろうか。**

トヨタ未来都市の名前は「**ウーブン・シティ（WOVEN CITY）**」。同社は、静岡県裾野市にトヨタ自動車東日本の東富士工場跡地約70万平方メートルを有する。ディズニーランドの1・4倍の敷地に未来都市をつくる壮大な計画だ。

トヨタは〝走り〟ながら考えていくためか、その全貌は明らかにしていない。様々な情報をかき集めてみると、「人工知能や情報技術を活用して街の中、道路、家の中の様々なデータを集めて分析して、クルマの自動走行、遠隔医療や遠隔教育、エネルギーの効率利用などを実現していこう」という構想であることがわかる。空飛ぶクルマが現れ、無人バスが走れば、いかにも未来都市っぽい、とこちらは考えてしまう。

これまでも未来都市構想に近い「スマートシティ」があった。今回それと違うのは、トヨタが私有地で様々な実証実験を行うこと。公道だと規制だらけで実証実験がスムーズに運ばないが、私有地ならその規制は緩い。

ちなみに未来都市の名前は覚えにくいが、ウーブンは「編み込まれた」という意味で、未来都市に道が編み込まれたという意味を込めていると各メディアは解説する。

トヨタの発祥は、始祖である豊田佐吉が始めた豊田紡織（現トヨタ紡織）である。豊田佐吉が発明した自動織機を使って綿製品の製造がスタートした。おそらく、その織機の「織る」という意味を込めたのではないかと私は想像する。

つまり、創業精神を再び、未来都市で実現したいという思いを込めたのではないか。

トヨタの未来都市は「あらゆるモノやサービスがつながる実証都市」を目指している。自動車メーカーだから、道路のコンセプトは明解だ。

- **クルマと信号機などが情報ネットワークでつながっている。信号が赤になれば自動運転車に指示が出て止まる、青になれば動き出す。**
- **道路は、「高速走行する車両専用の道」「歩行者専用の道」「歩行者と低速走行する車両が共用する道」の３本を地上で走らせ、地下に物流専用道路が走る。**
- **地上の車両専用道路は、二酸化炭素を排出しない自動運転車が走る。**
- **歩行者と車両が共存する道では、「eパレット」と呼ぶ低速の無人バスが走る。**

情報のネットワーク化、温暖化対策、自動運転車など自動車メーカーが解決しなければならない課題をコンセプトに〝織り込んでいる〟というわけだ。

生活の場としての町の構想もある。

- **総勢何人ぐらいが住む街かは明らかにされていないが、人口2000人単位の町にしたい意向だ。**
- **そこに住むのは、主に高齢者世帯、子育て世帯、そして発明家である。**
- **社会課題を抱える高齢者や子育て世代と暮らしながら、発明家が社会課題を解決していく。**
- **トヨタ未来都市の「公用語は英語になる」。**
- **新しいバイオテクノロジーを使った農産物の生産も計画に入っている。**

「発明家」が社会課題を解決していく発想がユニークだ。「イノベーター」「社会企業家」と言わず、「発明家」と言ったあたりは、発明家として社会づくりを行った豊田佐吉への思いが込められているのだろう。

そして突飛なのは、公用語があることだ。豊田章男社長がテレビに出演して明かしていた。

実際、この未来都市での協業者を募集しているが、その募集サイトでは英語が使われている。

日本語しか話せない人は住めないかと言えばそんなことはなく、「日本語で話して自動翻訳してくれる街にできないか」と豊田社長は発言している。

他にも将来の食糧問題まで考えようとしていることが構想から読み取れるが、トヨタウォッチャーが期待するのが「空飛ぶクルマ」「空飛ぶタクシー」の実験がこの未来都市で行われるかどうか。トヨタと部品メーカーのデンソーは、ヘリコプターみたいに空を飛ぶクルマの構想を掲げ、いま開発中だ。「eVTOL（イーブイトール）」という電動自動車だが、空飛ぶクルマが実現すれば、未来都市っぽくなるということで周囲の期待が集まっている。

本題に入る。トヨタはどうして未来都市をつくるのか。

電気自動車が主流になってくると、自動車業界以外から参入が相次いで、伝統的な自動車メーカーはその存在を脅かされるという心配がある。実際、シリコンバレーから誕生したテスラは、米国の電気自動車市場で7割のシェアを奪ったと言われ、全世界での電気自動車の生産台数も1、2年のうち100万台を超えると見込まれる。

トヨタは、クルマを売るだけでは将来はない、街中での様々なサービスに参入しないと成長はないと考え、未来都市を自らつくって、将来の事業の柱をつくろうとしているのだ。

問題は、トヨタの未来都市がうまくいくかどうか。それを占うのは、海外での先例である。国際比較はここで役に立つ。次の事例を見ていこう。

グーグルグループがカナダのトロントで計画していた未来都市「IDEA」が2020年5月に挫折している。

構想では、木造の高層ビル群を建築し、そこで生活と仕事ができるようになる。光る敷石で舗装された街路は、瞬時にデザインを変えられる。家族連れで歩き回れる街は、時間帯などによって自律走行車のための道路に切り替えられる。ゴミは地下のダストシュートを通って捨てられ、歩道には発熱の機能があるので、冬でも暖かいというものだった。

この**夢のような開発計画が挫折したのは、未来都市で得られる情報、特に個人情報がグーグルだけのものになってしまうのでは、と住民たちが疑念を抱き、計画そのものに反対したから**だった。

グーグルの未来都市では、トヨタと同様に街中にセンサーを設置する予定だった。すべての情報が収集されるのには、メリットとデメリットがある。メリットは、データを収集し管理することで交通渋滞をなくし、大気汚染を解消することができる。一方で、住民の生活もその行動がすべてデータとなって収集される。自分が何を食べたか、どこを歩いたか、すべてが記録される。個人情報が丸裸にされるのは、さすがに怖い。

家庭ゴミを分析して「昨晩の料理はすき焼きでしたね」と言われるのも不気味だし、個人のスケジュールを街中のセンサーによって把握されるのは恐ろしい、と容易に想像できる。

今でも利用できる「グーグルマップ・タイムライン」というサービスがある。位置情報をオンにしておけば、自分がどこを訪れたかの「ロケーション履歴」がわかる機能だ。私はこのサービスを使っている。1カ月に1回、「4月、あなたは11の都市、81カ所のスポットを訪れています」といったことを教えてくれる。もちろん、具体的な場所、辿ったルートなど詳細情報を閲覧できる。

備忘録代わりにこのグーグルマップ・タイムラインを使っているが、他人が私の行動履歴を見ることができたら、家から出られなくなるだろう。

話をトロントの未来都市に戻すと、グーグル側は、公共的色彩の強い「データ管理センター」を設置して、データ使用のガイドラインを公開することになっていた。しかし、未来都市の主体がグーグルという私企業であることに変わりはない。

結局、グーグルは、「監視社会になる」という住民の疑念を払しょくできなかった。

トヨタの未来都市のニュースについて、グーグルの未来都市構想の挫折まで触れたメディアは、ほとんどない。未来都市におけるデータの収集について、知見を深める記事も、英語メディアを除けば、ほとんど見当たらなかった。

政府の未来都市構想も動き出していることも一緒に考えれば、トヨタの未来都市のニュースをもっと多角的に検討できたはずだ。

2020年5月、人工知能やビッグデータなど先端技術を活用した都市「**スーパーシティ**」**構想を実現するための「改正国家戦略特区法」が成立した**。車の自動運転や遠隔医療などを取り入れたまちづくりを通じ高齢化社会や人手不足の解決につなげたいというものだ。

スーパーシティ構想を進めたい自治体などを公募し、31の自治体が応募した。大阪府・大阪市は「2025年日本国際博覧会（略称は大阪・関西万博）」の会場となる区域で空飛ぶクルマやドローンなどの活用を考えている。

しかし、ここでもネックになるのが、個人情報の収集問題である。

「スーパーシティ」と呼ぼうが「スマートシティ」と呼ぼうが、たくさんのデータを集めることがキモなので、個人情報が奪われることへの懸念をどう払しょくしていけるかが成功のカギになる。

トヨタの未来都市構想は野心的で夢がある。ぜひ実現してほしいが、同時に個人情報やデータ収集のあり方についても解決策を提示してほしい。

ニュースとは、先駆者や海外事例と比較しながら、自分の国や住む町、企業などで起きていることの位置付けを正確に理解することだ。

世界的な感染症拡大が突き付けた日本の現実

日本の出遅れをまざまざと見せつけられたのが、新型コロナワクチンの開発だ。

2021年5月現在、日本人、そして日本経済の命運を握っているのは、米国企業であるファイザーやモデルナ、英国のアストラゼネカのワクチンである。ファイザーからは追加分を含めて1億9400万回分の供給が約束されている。アストラゼネカからは1億2000万回分、モデルナからは5000万回分の供給を受けることが決まっている。海外から3億6400万人分のワクチンを輸入して、接種することになる。

だが、日本のワクチンはいつごろ登場するのだろうか。

国内で初めて治験を始めた大阪大学発のバイオベンチャー企業であるアンジェスは2021年春を予定していた治験の終了予定を延ばした。大規模な追加治験を求められたことから、実用化は早くて2021年中。2022年以降にずれ込むことも十分あり得る。他の国産ワクチンも当面は期待薄である。

簡単に言えば、この危機的状況を**海外製薬メーカーからのご厚意でコロナウイルスに打ち勝とうとしている**。

安全保障の観点から仮定してみると、もし米国や英国が敵国だったら、多くの日本人がワクチンを接種できず、感染者を増やし続けることになっていたはずだ。

中国の軍事力強化で日米安保体制の再構築が重要なテーマとなっているが、**ワクチン問題で安全保障の認識を持つ政治家は少ない**。

日本が国産ワクチンがなくて、輸入問題でゴタゴタしたのは今回だけではない。2009年、舛添要一厚生労働大臣時代にも、新型インフルエンザ対策でワクチン不足に陥るドタバタ劇を演じた。

当時の厚生労働省は、5300万人分のワクチンが必要になると見込んだ。ところが、2009年のうちに国内で生産できるのは、最大1700万人分にとどまった。3600万人分が足りない計算で、海外の製薬メーカーに頼まざるを得なかった。

日本は英国のグラクソ・スミスクラインとスイスのノバルティスに頼み込んで、9900万人分を輸入する契約を結ぶ。その費用は1100億円を超えた。ところが、フタを開けてみたら、2社から手に入れた輸入ワクチンが大量に余ってしまった。出荷開始以来、接種したのはたった二千数百人だったのだ。全国民分の確保を目指して9900万人分を発注した結果、国産・輸入合計で約1億4000万人分の在庫を抱えることとなった。

この後始末をさせられたのが、長妻昭・元厚生労働大臣である。長妻大臣は無理を承知で、海外製薬メーカー2社との間で解約交渉を行った。無理矢理、2社を口説き落として、9000万人分を確保したのに、今度は「要らない」と。海外製薬メーカーから日本政府への不信感は募りに募った。

ちなみに、当時、政府の新型インフルエンザ対策本部の専門家諮問委員会委員長は、新型コロナウイルス対策でも陣頭指揮をとっている、尾身茂氏だった。

2009年のインフルエンザ・ワクチン輸入騒動から、日本政府は何を学んだのだろうか。何も学んでいない。ワクチン行政の貧困さが解消されることはなく、日本人は竹やりすら持たされず、新型コロナウイルスの脅威にさらされたことになる。

しかし、もともと**日本はワクチン接種大国だったことをご存じだろうか。**

集団ワクチン接種の経験をした方は多いはずだ。1976年に予防接種法が改正されて、小中学生へのワクチン接種が義務付けされた。

1957年に大流行したアジア風邪というインフルエンザで300万人が感染し、8000人ほどが亡くなった。その反省から、集団接種によって子どもたちに集団免疫をつけることが重要との認識が高まり、予防接種による子どもへの接種義務を決めた。

ところが、**義務化による接種は1994年に終わる。**

ワクチンを接種したあとに高熱や後遺症などの副反応が出たためだ。国に対する損害賠償請求も相次ぎ、義務化を取りやめざるを得なかった。このため、**日本の製薬メーカーはワクチン開発から撤退するところが増加した。**

細々とワクチン開発を続けているのは、大阪府にある一般財団法人「阪大微生物病研究会」、東京都にある学校法人「北里研究所」などほとんどが小規模団体で、企業は部分的に取り組んでいるだけだ。世界ではメガファーマと呼ばれる巨大な製薬メーカーがコロナワクチン開発の競争に乗り出したのに対して、日本は心もとない体制だ。

これが、ワクチン後進国の日本の現状である。今はワクチン接種に忙しく、体制整備に乗り出す気配はない。政府は今後も起こり得る新型の感染症に対して、ワクチン後進国からどう打開するのだろうか。

そして日本が遅れているのは、ワクチン問題だけではない。日本が「成功した国」だという幻想があるなら、それを払しょくしよう。

①デジタル後進国＝デジタル化が遅れに遅れている
②労働生産性後進国＝働く人が価値を生んでいない
③グローバル後進国＝英語力が劣るだけでなく、海外人材が少ない

日本が敗戦から立ち直り、高度経済成長によって国を復興した奇跡は、語り継ぐべき遺産である。それは、江戸時代の鎖国状態から開国し、明治維新による「富国強兵」「殖産興業」を成し遂げた奇跡と同じくらい誇るべきことである。しかし、世界を見て自分たちの立ち位置を知ることから始めなければ、3度目の奇跡を起こすことはできない。


話を戻す。ニュースに接するときは、どうしても事象を追っかけるだけに終わってしまう。

「日本が開発したワクチンは接種できないのか」

「外資頼みのワクチン接種か」

ワクチン関連のニュースにそう感想を持つかもしれない。感想を持ったら、ぜひ調べてほ

しい。

「なぜ、日本ではワクチンを作れないのだろうか」

「日本人より西洋人のほうが頭がいいのだろうか」

調べていけば、日本がワクチン開発大国だったこともわかるし、その後、ワクチン後進国に転落した経緯も理解できる。

ニュースを読み、調べ、深く考えることで、求められる政策まで立案できたら、あなたのニュース脳は最高の状態になれる。**ニュースはきっかけを与えてくれるが、考える力を養うのはあなた自身だ。**

chapter 03

縁遠い海外ニュースを「自分事」にする

グローバル化した世界では遠い海外の問題が〝私〟とつながる

～点と点を結び壮大なまき絵図を読み取る～

第2章の「世界見て我が振り直せ」で、海外ニュースを取り上げた。海外との比較で日本の立ち位置、出遅れ度、先進度が客観的に理解できるという話をした。

今度は、「なじめない」「親近感が持てない」「遠い国の話」と思ってしまう海外ニュースの扱い方について考えてみよう。

世界は一つにつながっている。海外ニュースを読むことは、自分たちの社会を理解するためにも大事である、というのが本章のテーマだ。

実際のところ、日本人の海外ニュースへの関心度はどうか。意外に感じるかもしれないが、日本人の海外ニュースへの関心は高まっている。

データが2015年と古いが、BBCワールドニュースによる調査で、世界の69%の人々が世界の出来事に対して「これまでになく興味がある」と回答。**日本人に絞ると「これまでになく興味がある」と答えた人は75％に上り、世界のニュースに「興味がない」と答えたのはわずか3％だった。**

各国で関心が高かった3大テーマは、**テロリズム、戦争／紛争、健康。**日本の回答者はとりわけテロリズムに、81％の人たちが関心を持っていると答えた。

米国の同時多発テロ（9・11テロ）の悲劇を思い出すまでもなく、テロは平穏な生活を送っている私たちに、いつ起きるかわからない脅威だ。テロリズムに対して関心が強いのは、自分の安全に直結するからだろう。

この調査後、米国にとんでもない政権トップ、トランプ大統領が登場して、彼のフェイク発言が日本でも話題をさらった。さらに、2020年以降、日本人の誰もが目を離せなくなったのが、新型コロナウイルスの海外での感染状況だ。世界は一つにつながっているということを強く感じた出来事の一つだろう。

新型コロナウイルスによる感染は、中国の武漢市から始まり、欧州に拡散した。変異し、感染力が1・4倍から1・7倍強い「英国型」となって、国内にも上陸。大阪、兵庫から始まり、英国型変異種によって新規感染者数や重症者を増やしてしまった。

2021年4月には3回目の緊急事態宣言が大阪や東京などで発令された。海外の感染状況、ウイルスの変異種の発生は、日本の感染拡大に直結するため、私たちは海外ニュースから目を離せなくなった。

特に新型コロナウイルスのワクチン接種は、海外の接種状況が注目を集める。第2章でも述べたように、残念ながら国産のワクチン開発は出遅れていて、海外から輸入されるワクチンに頼っているからだ。多くの人は日本だけが出遅れているのかを確認したい衝動に駆られただろう。

2021年5月中旬段階のワクチン接種の状況は次の通りだ。

・イスラエルは国民のほぼ6割に2回目の接種を完了。
・欧州連合（EU）が、18歳以上の成人の7割、2億5000万人に対して接種を前倒しして7月に完了させる。
・英国は成人の6割超に1回目の接種を終えた。
・米国は4月に2億回の接種を完了。人口の4割が1回目の接種を終えた。

接種率や接種回数だけではなく、接種の方法や接種対象範囲、接種の促進の仕方、妊婦などへの接種の是非も重要な情報となる。また、コロナ後の接種証明の仕方も話題となっている。

・米国では、ドジャー・スタジアムなど野球会場も接種会場にして大量接種を実現。
・米疾病対策センターは、妊婦への接種を推奨。
・EU加盟27カ国は、ワクチンパスポートの「デジタルワクチン接種証明書」の共同導入に合意。

そして、一番気になるのが、ワクチン接種による副反応のニュースだろう。新しく開発されたワクチンがどれだけ安全なのかは人々にとって大きな関心事だ。

・EUの医薬品規制当局は、米国の製薬大手ジョンソン・エンド・ジョンソンのワクチンについて、脳などの血管が詰まる血栓の症例は「ごくまれな副反応として記載されるべきだ」とする結論をまとめた。
・ＥＵの医薬品規制当局は、英アストラゼネカ製ワクチンによる血栓の症例について「非常にまれな副反応」との見解を出した。

ワクチンに関するこれらのニュースを「自分事」として読んだ人がほとんどのはずだ。日本はワクチン接種率が先進国で最下位となっている。不幸中の幸いは、先行接種する欧米諸国の接種後の副反応について情報を得られることだ。国民が安心して接種するために、海外情報は重要になっているのである。

新型コロナウイルスの問題だけではない。このように**「自分事」として考えることは、海外ニュースを深く読むためのヒントとなる。**「自分事」で考えることが報道の真相や探求につながるからだ。

とは言っても外国で起きていることを身近に感じるのはなかなか難しい。

ではどうすればよいのか。

「自分事」にするポイントの一つは、映像だ。

1990年代後半、私がニューヨーク郊外に住んでいた頃、ミドルクラスの人たちが自分のことのように海外ニュースの映像を見ていることを知り、衝撃を受けた。CNNが24時間、世界中のニュースを映像を通して報じて、米国民の間に海外ニュースが身近なものになった功績は大きい(一方で、米国民ほど海外の国のことを知らないのも事実で、私が住んでいた近所には日本と中国を混同している人すらいた)。

当時、ボスニア・ヘルツェゴビナ紛争のニュースが頻繁に流れ、紛争の犠牲者としての戦争孤児たちの姿がテレビ画面に映し出されていた。

親が殺され、自宅や学校は破壊される。瓦礫と化した町の中で餓死寸前で力なく逃げ場を探す子どもたちの姿に、多くの人が「助け出したい」という思いを抱いた。一連の映像を見て、米国人の中には「養子にしたい」と現地に飛んだ人もおり、その行動力にぶったまげた。

「養子にしたい」といって現地に米国人を向かわせたのは、「隣人を愛せよ」というキリスト教的な信仰心なのか、養子縁組のハードルが低い国情からなのか。自分の子どものことのように、遠い国の戦争孤児のことを思える「自分事力」のたくましさが参考になる。そして、そのきっかけを与えたものこそ、生々しい映像だった。

新疆(しんきょう)ウイグル自治区の人権侵害問題にリアリティを感じる

ＴＢＳラジオ「森本毅郎スタンバイ！」の番組で新疆ウイグル族に対する中国の迫害のニュースを取り上げたことがある。別のニュースをボツにして、放送45分ほど前に取り上げることが決まったから、大慌ての準備だった。

ニュースの要点はこうだ。

・２０２1年3月18日、バイデン政権で初めて、米中の外交トップによる会談がアラスカで開催された。
・米国のブリンケン国務長官は、中国による少数民族のウイグル族への弾圧や香港・台湾への威嚇などを取り上げ、懸念を伝えた。
・中国側は「内政干渉には断固反対する」と反論した。

米国だけではなく欧州も中国批判に加わった。

・ＥＵは３月22日、外相理事会で中国が新疆ウイグル自治区で拘束や強制労働など深刻な人権侵害を行っているとして、中国関係者４人、１つの団体への制裁を決定。ＥＵ諸国への渡航禁止と資産凍結を科した。
・ＥＵが対中制裁をするのは、１９８９年の天安門事件以来、およそ30年ぶりのこと。
・米国、カナダ、英国も歩調を合わせるように３月22日に制裁を発表。

新疆ウイグル族への人権侵害はあるのか、ないのか。中国の報道官は「ＥＵはウソの情報にもとづいて、一方的な制裁を科し、中国の内政に荒々しく干渉した」と反論した。

あなたはこのニュースを身近なニュースとして感じられるだろうか。

ウイグル族など少数民族の方と知り合いだったら、心痛いニュースとして受け止めるだろうが、そんな人は少数だろう。

私たちは五感を働かせて、新疆ウイグル族に対する人権侵害の事実をつかむ必要がある。文字を読み、映像を見る。東日本大震災でも、私たちは津波の恐ろしさ、原子力発電の災害の怖さを映像で目の当たりにした。

この問題をラジオで解説した際は、私はウイグル族の若い男性モデルが収容所の中で拷問を受けた際の生の声を紹介した。たまたまBBCの放送で流された拘束の映像を見たからだ。

BBCのジョン・サドワース記者が入手したのは、ウイグル族などを収容する施設の内部を撮影した映像だった（ちなみに、北京にいたサドワース記者は3月末、中国政府の圧力や脅しがあったとして台湾に転出している）。

BBCによれば、施設の内部を自ら撮影したのは、マーダン・ギャパーさん（31歳）。新疆ウイグル自治区を出て、大手オンラインショップのモデルになった人物だ。

動画には、収容所の中で手首に手錠をはめられ、ベッドの鉄フレームにつながれている様子が自撮りされている。モデル時代のギャパーさんの華やかな姿も紹介されていただけに、薄汚れた衣類を着せられ、拘束されている姿は、まさに虐待の場を感じさせる。

ギャパーさんは、最初は大麻を販売したとして逮捕され、刑務所に収監された。友人たちは、容疑はでっち上げだったと主張したが、刑務所を出たあと再び拘束された。刑務所の職員の隙を見て、携帯電話を取り返し撮影したのが自撮りの映像だった。メールも送られていて、そこには次のように書かれている。

「全員、『4ピース』と呼ばれるものを身に着けていた。頭にかぶる黒い袋、手錠、足かせ、手錠と足かせをつなぐ鉄チェーンだ」

「**ここでは絶対に死にたくない**」

文字メディアからは豊富な情報を得ることができる。一方で映像は、そこに登場する人物に感情移入できる。私自身、ギャパーさんの顔を見ながら、「こんなに若い青年がなぜこんな辛い思いをさせられるのだろうか」と我が事のように感じられた。

ラジオのニュース解説では、時をさかのぼってトランプ政権時代のペンス副大統領の発言を引用した。

「**イスラム教徒であるウイグル族を中心に100万人が強制収容所に連行され、思想改造を受けている。そこで、虐待、拷問、殺人が起きている**」

新疆ウイグル自治区での人権問題はバイデン政権に引き継がれ、先のブリンケン国務長官の発言につながる。

BBCは徹底して新疆ウイグル族の問題を取り上げている。

あるときは、英国のドミニク・ラーブ外相と中国の劉暁明(りゅうぎょうめい)駐英大使をスタジオに登場させた。ウイグルの人たちが目隠しをされ、列車に乗せられる場面を撮影した映像が流れた。それでも、劉大使は「新疆に強制収容所はない」と反論している。

さらに、BBCは文字情報でも新たな真実を暴露した。

収容施設で警官や警備員から組織的にレイプや性的虐待をされたとする女性収容者たちの証言を報じたのだ。収容施設から解放された後、米国に逃れた女性は、収容施設では毎晩のように女性たちが連れ出され、覆面をした中国人の男にレイプされていたと証言した。

ＢＢＣの徹底した報道ぶりには敬服する。海外拠点に軸足がなく特派員も少ない日本のメディアにはできない仕事だ。

私たちは、活字メディアを読むだけでは、立体的な理解は得にくい。ニュースを深く理解するには、新聞、雑誌、論文、テレビの討論番組など多岐にわたるメディアに接することが大事だが、海外ニュースの場合は映像が一番だ。

ちなみに、ＢＢＣやＣＮＮが幅広く世界の動きをフォローしているが、英語版のほうがニュースが豊富だ。本来なら「YouTube」が便利だが、検索しても日本のテレビ局のニュースが多くて参考にならない。私自身は、ＢＢＣのニュースをスマホアプリで見るほか、気に入っている番組がある。それがＮＨＫのＢＳ１が毎週土曜日午前中に放送している「週刊ワールドニュース」だ。１週間の海外ニュースをダイジェスト版にして放送している。

単発ニュースをつなげて見えてくる〝私〟との関係

「自分事」にしていくための2つ目のポイントは、連想ゲームだ。

ある単発ニュースと別の単発ニュースをつなげていくと、海外ニュースが「自分事」になってくるときがある。別の言い方をするなら、頭の中に記憶されている単発ニュースをジグソーパズルでピースをはめ込むように記憶を結びつけてみると、突然、自分のこととして考えられるようになる。

引き続き、新疆ウイグル族に対する人権問題を事例に連想ゲームによる自分事化について説明したい。

もしあなたが着ている服が、強制労働や児童労働によって作られた服だったら、あなたは気持ちよく着ることができるだろうか。そもそも購入するだろうか。

2021年4月8日、ユニクロを展開するファーストリテイリングの柳井正会長兼社長の記者会見が世界の注目を集めた。この会見でウイグル族への強制労働について質問が出ると、柳井会長は、次のように答えた。

「取引先の工場で強制労働などの問題があれば即座に取り引きを停止している」

「政治的に中立な立場でやっていきたいので、政治的な質問にはノーコメントだ」

この発言に対して、「政治的問題ではなく人権問題であることを理解していない」との反発が出た。

そもそも、なぜファーストリテイリングのトップに新疆ウイグル自治区の人権侵害について質問が飛んだのだろうか。

きっかけは、オーストラリア戦略政策研究所が調べた報告書だ。2020年3月に発表されたその報告書は、82のグローバル企業が「ウイグル族を強制労働させた中国の工場と取引している」と指摘した。そこには、ファーストリテイリングなど14の日本企業の名前があった。

その後、国境を越えて人権を守る国際人権NGO「ヒューマンライツ・ナウ」などが「ウイグル自治区における強制労働と日系企業の関係性及びその責任」という報告書を出した。オーストラリア戦略政策研究所の報告書を受けて、日本企業に事実を問いただしたフォローアップレポートだ。

冒頭、次のように記載してある。

「我々は、中国政府が新疆ウイグル自治区で行っている大量の拘束、虐待、強制労働、ムスリム文化の破壊などに、日本企業がサプライチェーンを通じて関与している可能性を未だ完全に払しょくするために十分な措置を講じていないことに対して大きな懸念を抱いている」

サプライチェーン（供給網）とは、原材料・部品の調達から、製造、在庫管理、配送、販売、消費までの一連の流れを指す。サプライチェーンはグローバル化していて、海外で調達し、海外で生産し、日本で売ることは当たり前になっている。

フォローアップレポートは、ウイグル人に対する強制労働に関与したと疑われる企業に対して、次のように勧告している。

・企業及び組織は、該当企業との取引関係を明らかにし、説明責任を果たすべきである。

・仮に現時点でも取引が継続している場合、報告書が指摘する強制労働の事実が明確に否定できない限り、即時に取引関係を断ち切るべきである。

名前が挙がった企業の中でアパレル・雑貨企業は、良品計画（ブランド名は無印良品）、ファーストリテイリング（ユニクロ）、しまむらの3社だ。「ヒューマンライツ・ナウ」によるフォローアップ調査に対して各社の回答はこうだ。

・良品計画「重大な問題は確認できていない」。

・**ファーストリテイリング「ウイグル人も含むいかなる強制労働も発生していないことを確認」。**
・**しまむら「強制労働などの行為があったかどうか、該当サプライヤーに事実関係を確認したが、そのような行為は行っていないとの報告を受けている」。**

これに対して「ヒューマンライツ・ナウ」は次のように評価した。

・**良品計画に対しては「自社のホームページから削除する一方で、楽天やヤフーショッピングのネットショップでは『新疆綿』として販売を続けていることは不誠実な対応と言わざるを得ない」。**
・**ファーストリテイリングに対しては「同社が取引関係を否定している中国企業2社のホームページには、取引関係が記載（中略）。本当に調査した上で回答しているのか疑問」。**
・**しまむらに対しては「(取引の）相手に聞けば否定するのは当たり前で、調査になっていない」。**

ファーストリテイリングはホームページで次のように反論している。

「中国新疆ウイグル自治区の人権問題を懸念する各種報告書や報道については認識しています。ファーストリテイリンググループの主力ブランドであるユニクロが製品の生産を委託する縫製工場で新疆ウイグル自治区に立地するものはなく、同地区で生産されている製品はありません。また、ユニクロ製品向けの生地や糸を供給する素材工場や紡績工場で、同地区に立地するものもありません」

その後、米政府がユニクロの綿製品・シャツを輸入禁止措置に違反したとして輸入差し止めしていたことが発覚したが、真相の解明はこれからである。

この事例を連想ゲームのように話を展開させれば、海外ニュースも身近な大事な問題になる。

①オーストラリアの研究機関の調べ→②日本企業も強制労働など人権侵害をした中国企業と関係している可能性がある→③私たちが着ている服が人権侵害によって出来上がった服の可能性も→④私たち自身が人権侵害に加担していることもあり得る。

どうしてこのような連想ゲームの手法が成り立つのか。**世界はサプライチェーンのようにつながっているからだ。**

国内の工場火災と米軍のアフガニスタン撤退が浮かび上がらせる国際情勢

次は、**連想ゲームのように単発ニュースと単発ニュースをつなげていけば、壮大なまき絵物語が見えてくる話**だ。

次の異なる2つのニュースが、どこでどうつながるのか、考えてみてほしい。

最初は工場火災の話だ。

・2021年3月19日、半導体大手ルネサスエレクトロニクスの主力の那珂(なか)工場（茨城県ひたちなか市）で火災が発生し、自動車向け半導体の生産ラインが停止した。

もう一つのニュースは、米国のアフガニスタン撤退だ。

・2021年4月14日、バイデン大統領は、アフガニスタンに駐留する米軍について、同時多発テロ事件から20年となる2021年9月11日までに完全撤退させると発表した。

茨城県ひたちなか市の工場火災の話と米軍のアフガニスタン撤退。まったく関係ない話がどうしてつながっていくのか。

種明かしを始めよう。

半導体大手ルネサスの工場火災は、続報が次から次へと入ってきた（以下はこの章の最後までいずれも2021年の出来事）。

- 3月31日、トヨタ自動車や日産自動車は一部車種の減産の検討に入った。
- 4月15日、日産自動車が、半導体不足などの影響で5月に一部の工場を停止するなど生産調整することになった。
- 4月28日、ホンダは、世界的な半導体不足で部品調達が困難になり、埼玉県と三重県の計3工場の稼働を5月にそれぞれ5～6日間停止すると明らかにした。

ここで大事なことがわかる。自動車の生産で使う半導体が世界規模で供給難が生じていることだ。ルネサスの火災以前から、半導体の不足は世界各地で起きていた。

クルマは電動化が進み、普通車で1台あたり30個、高級車で80個の半導体を組み込んでいる。その半導体が不足すれば、クルマは作れなくなる。

ルネサスの工場火災は半導体不足に拍車をかけたのだから、政府を巻き込んだ大騒動に発展した。

・3月30日、梶山弘志経済産業大臣は閣議後記者会見で、半導体大手ルネサスの工場火災を受け、台湾の半導体メーカーに代替生産を要請したことを明らかにした。

ここまでだと、基本は産業界のニュースで、興味のない人は読み飛ばしただろう。しかし、これが「経済安全保障」に関わる重大問題に発展していく。

・4月12日、米ホワイトハウスは、半導体のサプライチェーンを巡り、産業界と意見交換する会議を開いた。バイデン大統領は「米国が再び世界を主導する」と述べ、国内生産の拡大に意欲を示した。

ホワイトハウスが半導体メーカーの幹部を招いて開いた会議には、インテルなど米国勢のほか、台湾積体電路製造（TSMC）や韓国サムスン電子の幹部も招かれた。台湾と韓国のこの2社は、半導体の委託生産で世界の1位、2位を競っている会社だ。両社合わせて世界の7割のシェアを握る。なかでも、TSMCは55％ほどの市場シェアを持つ。この会社の半導体生産が止まれば、世界の経済が止まることになる。

実際、シミュレーションを出した団体がある。

・4月1日、米国半導体工業会（SIA）は「台湾の半導体受託生産会社が1年間生産を止めると、世界の電子産業は1年間で4900億ドル（約50兆円）の減収に見舞われる」との報告書を発表した。

年間50兆円は日本の年間予算の半分に匹敵する。1兆円企業50社の売り上げがゼロになるということでもある。ＳＩＡは、50兆円が失われるという数字は、「極端な仮説」と断っているが、現実味を増している。

クルマ、家電、スマートフォンにはたくさんの半導体が組み込まれており、その受託生産で台湾は6割の生産を担う。

台湾は世界経済の命運を握っているのだ。

このため、バイデン大統領は、半導体の国産化に巨額を投じる中国に対抗するため、５００億ドル（約5兆５０００億円）を補助する法案を出し、米国内での半導体生産を重要な課題として取り上げた。そこへ出てきたのが、中国による台湾侵攻の可能性だ。

- 3月9日、米インド太平洋軍のデービッドソン司令官は、上院軍事委員会の公聴会で、今後6年以内に中国が台湾を侵攻する可能性があると証言した。

デービッドソン司令官は、次のことを警告した。

・中国が早晩軍事力で米国を追い抜く。
・2026年までに西太平洋における米軍優位の状況が変わる。
・中国の台湾侵攻は起こり得る。

ルネサス工場火災、自動車メーカーの減産という話から、「地政学リスク」に話が発展してきた。地政学リスクとは、特定地域が抱える政治的、軍事的、社会的な緊張の高まりのことで、ここでは台湾の政治的、軍事的、社会経済的なリスクが顕在化したということだ。

もし中国が台湾に侵攻したら、中国は台湾の半導体メーカーを傘下に置き、米国への輸出を禁じるかもしれない。そうなれば、自動車でもパソコンでも石油を掘削する機械でも、半導体が内蔵されているすべての製品の生産がストップする。製造業は事実上停止状態になり、一種の恐慌状態になることだって想定しなければならない。

だからこそ、**バイデン大統領は、中国によって息の根を止められないために、半導体や先端技術製品の自国生産に舵を切ろうとしている。**

連想ゲームをしてみよう。
①ルネサスの工場火災↓②半導体不足に拍車↓③台湾の半導体生産が脚光を浴びる↓④バイデン大統領が半導体の国内生産を加速↓⑤中国が台湾に侵攻する可能性↓⑥台湾が資本主義社

会の命運を握る地政学リスクの地域になった。

この流れの中で日米政府の外交は動き出す。

・3月16日、日米両政府は、外務・防衛担当閣僚による安全保障協議委員会（2プラス2）を東京都内で開催。共同文書は名指しで中国に言及。海警局の武器使用権限を明確化した海警法の施行に「深刻な懸念」を明記した。

海警法は、2021年2月に施行した中国の法律だ。海上警備に当たる海警局に武器使用を認めた。日本の海上保安庁のような組織だった海警局が事実上の軍事組織となり、海洋権益の拡大の先兵となった。

2プラス2での協議は日米首脳会談での「台湾」の52年ぶりの明記につながっていく。

・4月17日、日米首脳会談を受けて菅義偉首相とバイデン大統領は共同声明を発表。「台湾海峡の平和と安定の重要性を強調するとともに、両岸問題の平和的解決を促す」ことが明記された。日米首脳共同声明に台湾が盛り込まれるのは52年ぶり。

これが何を意味するのか。日米安保は、米国が日本を守るという安保から一歩も二歩も前に踏み出したことになる。もし、中国が台湾に侵攻したら、自衛隊はどういう行動に出るのか。中国の軍事力は米国の極東における軍事力よりも圧倒的に強大だ。米軍は、神奈川県の横須賀基地や沖縄の基地から出撃するだろう。中国は米国のみならず、日本も敵国として位置付けるだろう。自衛隊が前面に出ないにしても、米軍の支援と称して武力衝突に巻き込まれることを覚悟しなければならない。

経済面の安全保障だけではなく先端技術でも日米の協力がうたわれている。

・菅首相とバイデン米大統領は首脳会談で、経済安全保障をめぐる中国の脅威に対抗するため、高速大容量規格「5G」と次世代規格「6G」の最先端通信技術開発に

日米で計45億ドル（約4950億円）を投資することで合意した。

整理してみると、半導体不足、台湾の地政学リスク、2プラス2の共同文書、日米首脳会談が連綿とつながる話であることが浮き彫りになった。

そろそろ、ルネサスの工場火災と米軍のアフガニスタン撤退がどうしてつながるのか、種明かしの時間になってきた。

バイデン大統領が米軍をアフガニスタンから完全撤退させると発表したとき、もう一つ大事なことを言っている。

「我々は、いま直面する課題に対処する必要がある」

その直面する課題こそ、**中国に対する軍事的、経済的な対抗だ。劣勢状態にある極東での軍事バランスの是正を図り、5G、6Gなどの最先端技術で中国依存をなくすとの宣言だ。**

4月28日、バイデン大統領は就任から100日になるのに合わせて今後の施政方針を示す初めての演説でこのようなことを発言している。

「（中国の）専制主義が未来を勝ち取ることはない」

「習主席に、インド太平洋においても紛争を防ぐために強力な軍事的プレゼンスを維持することを伝えた」

アフガニスタンからの軍撤退は、インド太平洋地区で軍事力を強化して、中国の台湾進攻を食い止め、先端技術産業を守ることだ。その先端技術こそ半導体であり、ルネサス工場の火災につながる、というわけだ。

世界は一つである。

一つのニュースは別のニュースとつながり、連鎖反応を起こす。私たちも連想ゲームで、海外ニュースの深淵に迫ろうではないか。

chapter 04

為政者の思惑でニュースが動く

時の権力者は巧みな方法で国民の視線を問題から逸らす

〜メディア＆世論を動かす手段と流れを知る〜

ＴＢＳラジオの「森本毅郎スタンバイ！」の生番組で高齢者向けのワクチン接種について解説しようとしたとき、パーソナリティの森本さんが、話し始めようとする私を制したことがあった。

「リスナーからメールが来ています。高齢者の接種が始まりましたが、実は医療従事者の接種がほとんど済んでいません。これでいいのでしょうか、という疑問の声です」

そんな内容だったと思う。

政府は、医療従事者の接種を済ませてから、高齢者の接種に移ると、国民に向けて説明していた。ワクチン接種の順番を次のように決めていた。

①医療従事者４７０万人

②65歳以上の高齢者３６００万人
③基礎疾患のある人など１０３０万人
④60歳から64歳の人７５０万人

これら先行する人たちに接種が済んだら、次は残る国民への接種という流れだ。

２０２１年2月17日、順番通りに医療従事者へのワクチン接種が始まった。医療従事者を先に接種するのは、「感染症患者や潜在的な患者と頻繁に接する業務」だからだ。これに納得しない国民はいない。

続いて２０２１年4月12日、65歳以上の高齢者向けのワクチン接種が始まった。東京の八王子市と世田谷区が先行自治体となった。冒頭のリスナーからの「医療従事者への接種が終わっていない」というメールは、八王子市などへの接種が始まった翌日のことだった。両自治体に配られたワクチンは、１９５０回分だけ。八王子市の65歳以上の人は16万人もいるのに、接種できたのは少数の高齢者だけだ。

それでも、**テレビでは、八王子市の会場で接種を受ける高齢者の映像が映し出された。**

ワクチンを接種してもらった高齢者は当然喜ぶだろう。各地の接種会場で高齢者の姿が映し出され、ワクチン接種が前進したかのように映った。テレビの映像を見る視聴者も、「いろいろ問題はあるが、おじいちゃん、おばあちゃんの接種が始まってよかった」と思ったことだろう。中には医療従事者の接種が終わって、高齢者への接種に移行したと思った国民も結構いたはずだ。

ところが、八王子市で、医療従事者への接種は、高齢者への接種開始から20日遅れたスケジュールだった。そのため、未接種のまま、市内の介護老人保健施設で入所者への接種にあたった医師たちは次のように訴えた。

「不安はあるが、マスクや手袋を着用し、消毒を徹底して接種に臨んだ。早く医療従事者にワクチンが行き渡る仕組みを整えてほしい」

ほかの自治体でも医師から不安の声が聞かれた。ワクチン接種をしていない自分が至近距離で、重症化しやすい高齢者にワクチン接種することへの不安だ。

日本医師会の中川俊男会長は、政府に注文をつけた。

「**医療従事者への優先接種が進んでいない。接種者である医師がまずワクチン接種を受けられるよう改めて強く要請する**」

高齢者に配布されたワクチンを医療従事者に転用する自治体が多数、現れた。そのため、中川会長は、全国の市区町村で同様の転用を進めるように政府から周知してほしいと求めた。

高齢者が接種する様子を映し出すテレビ映像。ワクチン接種が、医療従事者を終えて、高齢者に順調に移行しているかのように錯覚させるものだった。

映像はときに、生々しいリアリティを見せてくれるが、ときに騙し絵になってしまうことを注意しておく必要がある。 単なるイベント報道は、ワクチン接種が前に進んだかのように見せたい政府の思惑にずばり応える結果となった。

本章では、為政者・権力者がメディアを通して、世論形成、世論操作を図ろうとした事例について検討していく。

なお、先に紹介した**ワクチン接種の話は、「メディア・イベント」と呼ばれる世論誘導の手法である。** メディア・イベントは、メディアが巨大化して影響力を持つようになって効果が出てきた手法だ。

国民的行事をマスメディアが大々的に報じれば、社会を動かす「メディア・イベント」になる。ただ、メディア・イベントそのものに、世論操作の要素があるわけではなく、政治的意味が含まれているわけでもない。典型的な例が、夏冬のオリンピックだ。自分たちの国の選手がメダルを取れば、拍手喝采を送る。表彰式で日の丸が揚がり、君が代が流れると、国民は歓喜の声を上げる。それ自体は純粋なスポーツだ。

しかし、時の政権がオリンピックを政治に利用することはできる。

実際、**オリンピックの政治利用はこれまでもたくさんあった。**ナチスによるベルリンオリンピック、ロシア（当時はソ連）によるモスクワオリンピックなどは誰もが認める政治利用だ。

2022年の北京冬季オリンピックについても、中国が覇権国家としての国威を示す場にするのでは、という懸念がある。香港や新疆ウイグル自治区への圧政問題をそっちのけにしようとする中国に対して、ボイコット論が米国で浮上しているのも、オリンピックと政治が不可分な関係にあることを物語っている。

不思議なのは、ナチスドイツで国民を扇動する手段だった聖火リレーがいまだに、オリンピック前に行われていることだ。米国のホロコースト記念博物館の資料によれば、1936年にナチスドイツが開催したベルリンオリンピックで初めて聖火リレーが行われた。

同博物館の資料は次のように記載している。

「3422人の聖火ランナーが、ギリシャの古代オリンピック開催地オリンピアからベルリンまで聖火リレーのルートを1人1キロメートルずつ走りました。（中略）聖火パレードやリレーは、ドイツ国民、特に若者をナチ党へ惹きつけるためのプロパガンダとして利用したいナチス政権の思惑にぴったりでした」

オリンピック自体に問題はないし、オリンピック憲章はスポーツの政治利用を禁じている。

しかし、ナチスのようにオリンピックが政治の道具と化す危険性はいつもつきまとっている。

メディアがワクチン接種の映像を流すときに、政治利用されているとは思わないだろう。「4月に高齢者への接種を始める」と菅首相らが公言していたため、医療従事者への接種が終わらないうちに高齢者への接種をスタートさせていた。政治的作為があったにもかかわらず、違和感を解説で言い添えるテレビ局はほとんどなかった。

メディア・イベントが都合よく使われたのではないか懸念がある。

安保土地法案の名に隠された政府の意図

世論を誘導するために、危機をあおり、国民を納得させる手法がある。しかも、そこには国民に知らせたくない肝心の話が隠されている。

2021年3月、こんなニュースが流れた。私自身が騙されかけたニュースだ。

・菅首相は3月5日の参院予算委員会で自衛隊施設など安全保障上重要な施設の土地買収や利用を規制強化する法案について「何としても今国会で成立させたい強い思

いを持っている」と述べた。

この法案は「重要土地等調査法案」である。「**安保土地法案**」とか「**外資の土地買収調査法案**」と呼ばれている。政府は次のように説明してきた。

「国境離島や防衛施設周辺等における土地の所有・利用を巡っては、かねてから、安全保障上の懸念が示されてきた。経済合理性を見出し難い、外国資本による広大な土地の取得が発生する中、地域住民を始め、国民の間に不安や懸念が広がっている」（国土利用の実態把握等に関する有識者会議の提言書）

簡単に言えば、この法律は、外国資本が安全保障に関わる土地を買うのを規制するもの。もっとわかりやすく言えば、**中国や北朝鮮、テロ国家などが、自衛隊の敷地の近くの土地を買って、自衛隊に対して妨害したりするのを防ごうという法律**だ。なので、安保土地法案と言われる。

この問題は、以前から地方議会で議論になっていた。

２０１４年の北海道・千歳市議会では「航空自衛隊千歳基地や東千歳駐屯地、新千歳空港から約３キロの隣接地の苫小牧市美沢で、中国の企業による７・９ヘクタールに及ぶ大規模な土地取引がありました。千歳市は、この土地取引を知っていたのか」という質問が出ている。

長崎県・対馬市議会でも2013年、韓国人による市内の土地購入が質疑にのぼっている。

日本最南端の町である沖縄県・竹富町では2018年、「約2万4000平方メートルを売却予定していたところ、中国ファンド、台湾からの買収の申し出があったということで、不動産会社としては外国資本による国内の土地買収について非常に憂慮しておる」と話が出ている。

国会では、安全保障政策や防衛予算などに対し影響力を持つ国防族の議員から、再三、海外勢力による安全保障上重要な土地の買収が制限なく行われていることに危機感を募らせる発言が出ている。

それとは別に、地方自治体では、住民の飲み水を守るための条例を18の都道府県が制定している。住民の飲み水となる水源を守る「**水源地域保全条例**」で、水源地域の土地売買の事前届け出を義務付けるものだ。

改めて、安保土地法案の詳細を見てみると、もっと大事なことが見えてくる。

・自衛隊や米軍の基地、海上保安庁の施設、原発など重要インフラの周囲約1キロと国境地帯にある離島を「**注視区域**」に指定。土地・建物の所有権者や賃借権者の国籍、住所、氏名、活用状況について調査する権限を国に与えると規定した。
・注視区域のうち、司令部機能を持つ自衛隊基地など特に重要な施設周辺や、監視の目が行き届きにくい無人の国境地帯にある離島は「**特別注視区域**」に指定する。所有権移転の際、売り手と買い手の双方に氏名や利用目的の事前届け出を義務付ける。
・規制区域内で（1）電波妨害（2）電気、ガス、水道などの重要施設向けの供給妨害（3）侵入を目的とした地下坑道の掘削──などの行為があれば、利用中止の勧告や命令を発出。従わない場合は刑事罰を科す。

海外勢力が自衛隊の周辺で妨害活動をすれば、専守防衛の任務が果たせない。だから、私自身も、この法律は必要だと感じていた。

しかし、「安保土地法案」という言葉に惑わされたようだ。惑わされたと書いたのは、さらに調べていたら、安保土地法案に痛烈に反対する意見があることがわかったからだ。

琉球新報は社説で次のように論陣を張っていた。一部を引用させてもらう。

「**戦前に戻ったかのような法案**が明らかになった。米軍基地などの施設周辺で土地売買を規制するという内容だ。不動産取引という経済行為を制限するだけでなく、**土地所有者らの思想にまで政府が立ち入る**可能性がある。米軍基地が集中する沖縄で適用されれば、私権が侵害されることは明らかであり、政府は法案提出を諦めるべきだ。（中略）政府は周辺の土地所有者の個人情報や利用実態を調べることができる。**普天間飛行場がある宜野湾市、嘉手納飛行場が町面積の8割を占める嘉手納町は全域が対象になり得る**」

この社説を読んで驚いた。

- **土地所有者らの思想に踏み込む、戦前みたいな法律。**
- **基地が集中する沖縄では対象のすべての住民が調査対象になり得る。**

これは外国勢力から安保上大事な土地を守るという本来の趣旨から逸脱している。「思想調査」なんて大げさな反応ではないかと思われるが、「米軍基地に反対する連中だ」と住民が色分けされて、その後の差別や監視につながる危険性がある。

日本共産党の小池晃書記局長は、防衛省が「防衛施設周辺の土地所有によって自衛隊の運用に支障が起きている事例は確認されていない」との調査結果を示していることに触れ、「法案提出の必要性がない」と主張した。小池氏はさらに次のようにも指摘した。

「**土地所有者の氏名や住所だけでなく、職歴や思想、交友関係、海外渡航歴の有無などの個人情報が収集される可能性が高く、プライバシー侵害の危険性が高い**」

「国民監視を強化して基本的人権を踏みにじる危険な法案。法案提出の検討を中止すべきだ」

共産党だけなら、政府も法案成立を強行しただろうが、与党の公明党も反対した。公明党の北側一雄副代表は、

「私権制限との批判を招きかねない。この国会で成立うんぬんという段階ではない」

と取り下げを主張した。公明党が反対するのは、「対象を広げすぎて個人の権利を侵害する恐れがある」という点で共産党の主張と同じだ。

ここで調べてみた。

沖縄は米軍の基地がたくさんある。では、東京はどうか。グーグルマップで「東京都　自衛隊」で検索してみたら、20もの自衛隊関連施設が出てきた。新宿区にある陸上幕僚監部、目黒

区にある陸上自衛隊目黒駐屯地など都心にもたくさん自衛隊関連施設がある。

もし安保土地法案が成立したら、23区内で規制される土地がたくさん出てくることになる。

その後、法案は公明党の懸念を受けて、市街地を「事前届け出」の対象から外すなど、私権の制限を限定することで合意した。

政府はその後、防衛関係施設500カ所、国境離島484カ所を規制の対象区域としたが、具体的な場所名を開示しないまま、6月中旬に法案は成立してしまった。

当初、安保土地法案が私権の制限や国民の監視につながることを大々的に伝えたメディアはほとんどなかった。「安保土地法案」「外資の土地買収調査法案」という名前に騙されたのか。

報道する側も細心の注意を払わないと、法律が持つもっと大事な視点を見落とすことになり、結果としてメディアが読み手を騙してしまうことになる。

国際ルールから外れる入管法改正案

国際標準・国際基準を教えず、国内ルールだけで判断させる手法も世論を誘導する。

典型的な例が、与党が2021年5月に成立を断念した入管法改正案だ。経緯を追っていく。

4月、朝日新聞を読んでいたら、小さな記事だが、衝撃的な見出しに出くわした。

「入管法改正案『深刻な懸念』
国連人権専門家ら」

記事の趣旨は、出入国管理法（略称は入管法）が改正されて、外国人の「長期収容」の解消を図るとなっている。しかし、国連の人権専門家らは「**国際的な人権水準に達しておらず、再検討を強く求める**」との共同書簡を政府に出したという内容だ。

長期収容とは、海外から日本に来た外国人が半年、1年、2年以上も、国の入管施設に囚人さながら入れられていることを示す。

私は深く考えずに入管法改正案の記事を読んでいた。惑わされたのは次の部分だ。

・強制退去処分を受けた外国人の施設収容が長期化しているので、一定の条件のもと、施設外での生活を認める「監理措置」を新設する。「補完保護対象者」として難民と同じ「定住者」の資格で滞在できる。

「監理措置」なんて難しい用語を使わなくてもいいのに、と思ってしまう。要は、条件付きの社会生活だ。施設の中で長期に収容されている問題が解消に向かうのなら、その点だけでも改善なのだろう。ほかにもクエスチョンマークが付く部分はあったが、想像力が欠如していた。次の問題がそうだ。

- 難民認定申請中は何度でも送還が停止される規定を、2回までの申請に限定する。つまり、3回目以降の申請になると、相当な理由がないと送還となる。
- 速やかに国外退去に応じれば、再入国拒否期間が5年だったのが、1年に短縮されるので、将来、再入国がしやすくなる。

何度でも送還が停止される措置に回数制限が付いたけど、再入国がしやすくなるとも書いてある。最初に入管法改正案の記事を読んだとき、疑問点を多く残して、次のニュースに目を移していた。第一報を読むだけでは、問題の本質を知ることもなく、事の深刻さに気づかないままになってしまう。これがニュースを読むときの落とし穴だ。

国連人権理事会のメンバーたちは「国際水準よりも劣った、劣悪な改正だ」と批判した。ここで、入管法改正案が「改正」ではなく、「改悪」だということに気づかされる。

何が問題なのだろうか。問題視されていたのは、次の点だ。

・依然として「収容」が原則であり、「自由権規約」に反する可能性がある。

・申請が3回を超える難民申請者を送還するのは、迫害を受ける国への送還をしてはならないとする「ノン・ルフールマンの原則」に違反する。

少し言葉の説明をしよう。

「**自由権規約**」は、国連総会で採択された国際人権規約のこと。身体の自由と安全、移動の自由、思想・良心の自由、差別の禁止、法の下の平等などの市民的・政治的権利（自由権）を保障している。日本もこのルールを批准、つまり守ると世界に約束しているので、規約に違反しているとしたら、国際法違反だ。

「**ノン・ルフールマンの原則**」は、亡命者や難民を、迫害が予想される地域や被災地に強制送還してはならないという国際法のルールだ。日本も難民条約を遵守する立場だから、ノン・ルフールマンの原則に違反すると言われたら、国際法違反だ。

さらに調べていくと、入管法改正案について記者会見を開いた団体の一つが、国際人権NGO「ヒューマンライツ・ナウ」だとわかった。

「ヒューマンライツ・ナウ」の理事である伊藤和子弁護士は、書籍『なぜ、それが無罪なのか!? 性被害を軽視する日本の司法』（ディスカヴァー・トゥエンティワン）を書いている。女性差別や性被害に真正面から取り組んでいる弁護士だ。私がお会いした当時は、ファーストリテイリングの委託先工場の劣悪な環境改善に取り組んだ直後だった（驚いたのは、ファーストリテイリングが伊藤弁護士らの要求を真摯に受け取り、積極的に改善に取り組んだことだった）。

入管法改正案に話を戻す。

「ヒューマンライツ・ナウ」のホームページに飛ぶと、次の言葉が最初に飛び込んできた。

「入管法を改悪しないでください」

読み進めていくと、国連人権理事会の特別報告者から日本政府に向けて発出された入管法改正案に関する懸念表明と対話を求める共同声明が掲載されていた。助かるのは、和訳が載っていることだ。それを読み進めてみたい。原文のまま載せると法律用語で難しいので、大事なポイントを意訳して掲載する。

懸念されている問題点は、次の3点だ。

①「収容」が前提になっている。
②新設する「監理措置」は例外的に適用されるだけ。
③主任審査官の裁量で「監理措置」にするかどうかが決まる。

入国者収容施設は、茨城県や長崎県など全国9カ所にある。不法入国者だけではなく、難民申請をしている段階でも「入管施設」に強制的に収容されてしまう。2019年末時点で入管に収容されていたのは1054人。うち4割強は期間が半年以上で、2年以上収容されている人が197人いる。

国は施設について「収容施設の構造及び設備は、通風、採光を十分に配慮しており、冷暖房が完備されている」としているが、鉄格子のある部屋に5、6人が押し込まれているのが実態だ。2021年3月には名古屋市にある入管施設に収容中のスリランカ人の女性が亡くなった。

国連では次のように国際基準が決まっていると国連の特別報告者は説明する。

・「国際人権宣言」では、「収容および個人の自由に対する制約は例外」として扱わねばなら

ない。

・日本は「外国人の排除」が優先されるが、国際的なスタンダードは「保護」である。

次に、社会生活ができる「監理措置」に条件が付いていることを問題視する。

・「監理措置」では、３００万円を超えない保証金の支払いに加え、親族や支援者の中から「監理人」を対象者に指定し、対象者の日常生活を監視・報告する義務を負うことになっている。

・監理義務に違反した場合には、10万円以下の過料が科される。

国連人権理事会の特別報告者は何を問題にしているのか。

・「監理措置」は社会的経済的地位に基づく差別となる。

・「監理人」の要件を満たすことは、移住者や庇護希望者の多くにとっては実質的に不可能。

ここで問題になっているのは、社会生活をするための条件が無理難題だということだ。着の

身着のままで逃げてきた人は、財産もなければ知り合いもいない。なのに、

「保証金300万円を払え」

「身元保証人（監理人）を見つけてこい」

と言っているのだ。

収容するか、社会生活を営ませるかの決定権限者の問題も指摘している。行政官である、主任審査官が移住における収容令書を発付する権限を持つことに対して、国連の特別報告者は次のように指摘する。

「収容するかどうかを審査官という行政の者が判断するのは間違っている。移住者を拘束するという決定なのだから、裁判官あるいはその他の司法当局が決定すべきだ」

確かにそうだと思う。刑事事件では警察が逮捕し、検察官が起訴し、裁判官が犯罪かどうかを判断して判決を言い渡す。なのに、外国人の人権に関わることになると、行政官の裁量（独断）で決めることができるのは、人権無視といってもおかしくない。

ほかにも、次のように指摘する。

「申請が3回を超えると自動的に母国へ送還されることについて、そもそも、母国で虐待、拷問などから逃れるために出国したのに、また虐待や拷問されるかもしれない状態に戻すのは、国際人権法で禁止されている」

これに対して国の主張はどうなっているのか。難民認定などを管轄する「出入国在留管理庁」が「そこが知りたい！ 入管法改正案」のコーナーを作って説明している。

・現在の入管法の下では、国外への退去が確定したにもかかわらず退去を拒む外国人を強制的に国外に退去させる妨げとなっています。

・その結果、そのような外国人が後を絶たず、それが退去させるべき外国人の収容の長期化にもつながっています。

・今回の入管法改正は、外国人を強制的に国外に退去させるための手続（退去強制手続）を時代に即したものに改め、この送還忌避・長期収容問題の解決を図るために必要なものです。

これらの説明には、**難民などに対する「保護」の観点が欠落している。**そもそも問題なのは、日本の難民認定率が低いことだ。

2019年に日本で難民認定申請をした人は1万375人だ。そのうち難民として認定されたのは44人、人道的な配慮から在留が認められたのは37人だった。

難民として認められるか認められないかは大きな違いだ。

難民認定されれば、5年間の在留資格が与えられ、永住許可の道が開ける。生活保障を受けられるだけではなく、迫害の恐れがある本国に送還される不安が取り除かれるのが大きい。

しかし、日本の**難民認定率は0・4%だ。**

欧米各国が10%から50%近い認定率であるのに比べると、基本的に難民を受け入れない国である。認定NPO「難民支援協会」によれば、日本の難民認定の割合が低いのは、いくつかの理由がある。

「日本は難民を積極的に受け入れるという、政治的な意思が十分にない」

つまり、国民が海外の人はできるだけ日本に住まわせないほうがいい、住まわせたら治安が悪くなる（これは根拠がないが）と思っているからだ。

「出入国在留管理庁が、難民を『保護する（助ける）』より、『管理する（取り締まる）』という視点が強い」

取り締まりに重点があるため、空港で難民として助けてほしいと訴えても、上陸が許可されず、そのまま収容されたり、難民不認定と同時に収容・送還されたりする事態が起きている。

さらに、難民認定率が低いことで、別の問題も起きている。

国内にいる無国籍の子どもたちの存在だ。

親が正規に入国したものの、期限が過ぎたり、在留資格を失うことを恐れて、生まれた子どもの国籍を取ろうとしない。取ろうとしても取れない。そのため、生まれてきた子どもが無国籍状態で育ってしまう例があとを絶たない。

難民認定の道を事実上断っているため、問題がどんどん広がってしまう。

入管法の改正は、難民問題をややこしくするだけではなく、国際的な日本の評判を悪化させている。本来なら、そのことをメディアは、国民に伝えるべきだろう。入管法が詳しく報じられるようになったのは、国会で与党と野党が対立し始めてからだった。

結局、入管法改正案は2021年5月、世論の反対もあり廃案となった。ただ、入管施設に収容中だったスリランカ人の女性が亡くなった原因の追及はまだ終わっていない。

こういった国際的な問題は、第2章「世界見て我が振り直せ」で海外との比較の大事さを事例研究した。そちらも参照してほしい。

事実誤認が広がる学術会議問題

本章の最後に取り上げるのは、日本学術会議問題だ。

菅義偉首相が、学術会議の会員候補者6人を選任しなかった問題で、政権与党から事実誤認の発言が相次いだ。発信者が政権与党の幹部ということで、SNSを通じてその発言が拡散し、学術会議に対するマイナスイメージを作り上げた。

ここで問題にすべきは、**事実誤認の発言をした政治家本人だけでなく、政治家の発言が事実誤認のまま垂れ流され、世論に影響を与えてしまったことだ。**

どういうことか。まずは、事の起こりを振り返っておこう。

- 2020年10月1日、菅首相は学術会議の新会員について、同会議が推薦した候補者105人のうち6名を除外して任命した。
- 政府側は「6人を任命しない理由は答えられない」と説明を拒絶した。

理由も開示していないのは、政権のおごりでしかない。ただ、菅首相が国会で答弁したり、メディアに登場して発言したりして除外理由に触れている。その内容が事実誤認だった。菅首相の発言はこうだ。

「民間出身者や若手が少なく、大学にも偏りがみられることも踏まえ、多様性が大事であることを念頭に、私が任命権者として判断を行った」

「地方の会員も選任される多様性が大事だ」

菅首相の除外理由についての発言に対しては、さすがにメディア側が調べて事実誤認が明らかになった。

- **現会員204人のうち、東大の会員数は16・7％の34人。2011年10月の28・1％から低下。**
- **地域別の会員の割合も、関東地方は11年10月に59・5％だったが、現在は49・5％へと10ポイント下落した。**
- **女性会員の少なさを問題視したが、除外された6人には女性もいる。私立大学や関東以外の私立大学の教授も除外されている。**

東大や国立大学の出身者ばかりが会員になっていたのは昔の話だ。地方軽視も改められている。

菅首相は会員に多様性を求めたと言いながら、多様性を否定（除外）したのは、政府側だった。米軍普天間飛行場の移設問題で問題点を指摘した学者や、特定秘密保護法に反対した学者らが除外された6人に含まれている。

表向きは別の理由にしようとして、事実を誤認してしまったのだろうか。真相は藪の中だ。

事実誤認の発言は、与党からも相次いだ。

2020年10月7日、自民党の下村博文・政調会長は学術会議について、「**政府に対する答申は2007年以降出されておらず、活動が見えていない**」と発言。学術会議のあり方を検討するプロジェクトチームを自民党内に作った。

確かに学術会議のホームページを見れば、2007年5月以降、答申は出ていない。しかし、出ていないのには訳がある。

ホームページを見れば、「会長談話」「提言」「声明」「報告」「勧告」「要望」など多種多様な文書を発表している。「答申」は法律用語で、政府が「諮問」すれば答申することになっている。要は、**政府側が2007年以降は諮問していなかっただけ**ということだ。

誰だかはわからないが、ホームページを見て、「2007年以降、答申が出ていませんよ」と下村政調会長に吹き込んだのではなかろうか。その実態はわからない。

学術会議の広渡清吾(ひろわたりせいご)元会長は、「政府が諮問してくれなければ答申を返すことはできない。答申がないのは、あなた方が諮問しなかったからだ」

と反論している。

だが、ネットニュースで下村政調会長の誤認発言を読んだり見たりした人は、この反論を知らない人もいるだろう。情報が独り歩きする怖さがある。

もう一つ。自民党の甘利明・税制調査会長も失言した。

「中国の軍事研究につながる『千人計画』に学術会議が積極的に協力している」という趣旨のブログだ。そこで「千人計画」についても説明を加えている。

「他国の研究者を高額な年俸（報道によれば年収8千万円！）で招聘し、研究者の経験知識を含めた研究成果を全て吐き出させる。研究者には千人計画への参加を厳秘にする事を条件付けている」

もちろん中国の千人計画に学術会議が協力しているというのも、事実誤認だ。

学術会議側は「悪質なデマだ」と主張し、加藤勝信官房長官も協力の事実を否定している。

しかし、要人の発言は一度拡散してしまうと、果てしなく広がってしまう。そして、訂正や修正の効果が及ばないのが、ネットニュースの怖いところだ。

為政者の発言は拡散力が強い。意図的に事実誤認の話を発言したわけではないだろうが、その発言はメディアを通して人々の脳の中に刷り込まれていく。

だからこそ、私たちはニュースの真相を探求する習慣を身に付けて防御しなければならない。

chapter 05

「原典」にあたれば真相が見えてくる

表面的な報道が情報を搾取する加工されていない事実が新たな視点を生む

～オリジナル情報で当事者の背景や意図を調べる～

大学生の頃、卒論指導をする教官に「原典にあたれ」と口酸っぱく言われた。読者もそういった経験をした方が多いのではないだろうか。

原典とは、オリジナル論文などの一次文献のことだ。原典が英語やドイツ語など外国語の論文の場合も多い。学生にとって、「原典にあたれ」は、おっくうな作業だろう。

しかし、**ニュースの世界では、原典にあたることが大いなる力を発揮**する。原典にあたれば、真実が見えてくるからだ。この章では、原典にあたることの大事さを紐解いてみたい。「面倒だ」と思わなくても大丈夫だ。アカデミアの論文とは異なる。ここで言う原典とは、次のようなものを指す。

- **ニュースのもとになった発表資料（ニュースリリース）**
- **当事者の記者会見の動画や速記録**
- **役所や団体が公開している資料や議事録**
- **訴訟案件なら訴状やその他の裁判資料**
- **調べているテーマを書いた書籍や雑誌**

ニュースの素になった資料を読めば、ニュースには書かれていない論点や新事実を探すことができるから、自分の探求心を突き動かして、その真相に迫れる。

グローバルダイニングが東京都を提訴した本当の理由

第一の事例は、大手飲食チェーンの「グローバルダイニング」が2021年3月22日、東京都に損害賠償を求めて提訴した裁判だ。

新型コロナウイルス対策のために東京都が飲食店に時間短縮営業の「命令」を出したことに対して、同社は理不尽だとして訴えた。

このニュースは、新聞紙面では大きな扱いではなかったが、私はひどく興味を持った。

グローバルダイニングは、「モンスーンカフェ」や「権八」、「カフェラ・ポエム」など時代の先を行くレストランを展開している。大胆に店舗スペースを使い、広々とした店内は、来る者に開放感を与えてくれる。

人事制度がユニークなことでも知られる。1日4時間勤務でもOK、アルバイトは時給が申告制で「私は○○ができるので来月から時給○○円を希望します！　理由は〜」とミーティングでプレゼンをし、認められたら昇給できるなど、社員、パート、アルバイトが「ワクワク働ける人事制度」を導入している。レストラン業界では、その先進性が評判を呼んできた。

2002年には、来日中のブッシュ米大統領が当時の小泉純一郎首相と東京・西麻布の居酒屋「権八」で夕食を取ったことで、一躍有名になった。

そのグローバルダイニングの長谷川耕造社長が、東京都を訴えたのだから、私にとっては新聞の一面アタマ（一面のトップ記事のこと）を飾ってもおかしくない大ニュースだと思った。ところが、新聞各紙は次のように淡々と報じるのみだった。

・東京都がグローバルダイニングに出した営業時間の短縮命令は、営業の自由を保障する憲法に違反している。
・2021年3月18日時点で医療体制の逼迫（ひっぱく）といった危機的な状況は脱していて、都の命令は必要性を欠く。
・提訴した長谷川社長は記者会見で「店では感染対策を徹底している。時短営業をしなくても社会に迷惑をかけることはありえない」と語った。
・損害の賠償の一部として104円を求める。

私はこの一次報道を読んで次の疑問が湧いた。

2021年1月8日以降、新型コロナウイルスの改正特別措置法によって午後8時の閉店を要請されたが、グローバルダイニングはこれに応じていない。ところが、3月18日に東京都の命令に素直に従って26店舗で時短営業に転じている。**時短営業したのに、なぜ訴えるのか。憲法に違反するとは具体的にどのような違反なのか**。

いろいろな疑問を抱きながら、グローバルダイニングのホームページを開いた。原典にあたるための作業だ。

トップページの下のほうに「コーポレートニュース」のコーナーがあり、そこに訴訟関連の

情報の見出しがあった。最初に開いたのは、

「2021年3月12日　当社の営業について東京都より弁明の機会の付与を受けて」。

そこをクリックすると、東京都知事宛の弁明書をPDFファイルで開くことができる。さらに、

「2021年3月22日　コロナ措置法違憲訴訟とクラウドファンディングについて」

という案内がある。そこを開くと、

「コロナ禍、日本社会の理不尽を問う（コロナ特措法違憲訴訟）」

という見出しで、長谷川社長が映った写真が出てきた。

ちなみにクラウドファンディングとあるのは、集めた支援金を訴訟費用として使うためだ。クラウドファンディングがスタートすると、1日で目標金額の1000万円を超えた。4月上旬時点で既に2000万円に達している。

このクラウドファンディングのコーナーがとても役立つのは、訴状や証拠書類が開示されているからだ。

「甲第23号証：措置命令書」といった書類が閲覧できる。改めて知りたい疑問点は、次の通りだ。

①命令に従って店を午後8時で閉めることになったのに、なぜ訴えるのか。
②そもそも、都の命令の何が憲法違反なのか。

まずは弁明書から引用したい。弁明書を出したのは、2021年3月11日だった。

東京都のコロナ対策に対する批判が書いてあった。

「**必要なはずの、ハイリスクグループ（著者注：高齢者のこと）の命を守る具体策を実行せず、感染を低減、低減と言って、緊急事態宣言を要請・発出して経済活動に対して2回にわたりブレーキを踏み、さらに延長するのは、経済を心肺停止に近い状態にするのに等しい**」

さらに突っ込んで、

「指の先が化膿したので、腕を肩から切断するような、ありえない愚策」

と切り込んだ。特措法にもとづく要請については次のように主張している。

「**新型インフルエンザ等対策特別措置法第24条及び第45条を元に、時間短縮営業の要請を受けましたが、これはあくまで『要請』であり、要請を受けた側が任意に判断できるものである**」

「**任意に選択できるはずの要請に応じなかったことに対して『弁明』を求めることに違和感を覚えます**」

「協力金等の経済対策についても、一律に1日6万円というのはあまりに不合理です。（中略）店舗・企業の状況に応じた経済対策を望みます」

同社が都の対応に不満を抱えているのが読み取れる。だがここまで読み進んでもなぜ訴訟に踏み切ったのかは判然としない。そこでネットで公開している訴状を読んでみたら、疑問に答える文章があった。

「合計27施設について、特措法第45条第3項に基づき施設の使用制限命令を発出した。このうち26施設は原告が経営する店舗である。原告が経営する店舗以外に対する同日の命令の発出は、1施設のみである」

「3月18日時点において目視による調査によっても2000件を超える施設が協力要請に応じていない」

「客観的にみて、原告に対する〝狙い打ち〟により命令が発出されているといわざるを得ない」

ようやく提訴した本筋が見えてきた。

原文は「狙い打ち」だったり「狙い撃ち」だったりするが、いずれにしても狙い打ちの詳細を説明している。

「ミクロの視点で、原告に対する営業時間短縮命令は、二つの意味で狙い撃ちです。一つは、要請に応じていない約２０００店舗のうち、原告の26店舗を含む27施設だけ（当時）を対象に

発出されたことです。二つ目は、原告が要請に従わないことをWEB上で発信していたことが命令の理由になっていることです。（中略）これらの二重の点で狙い撃ちになっています。この点に関し、平等原則に反し、表現の自由及び営業の自由の侵害であると主張していくことになります」

東京都の時短要請に従わない店が2000店ある。なのに、使用制限命令を出した27店舗のうち26店舗がグローバルダイニングの店。ホームページなどで時短拒否を公言したことで東京都に逆らっていると見られ、「**見せしめ**」で使用制限命令を出したようだ。

なお、グローバルダイニングは3月11日の段階では、ほぼ自分たちの店だけが狙い打ちされたことを知らなかった。

最後に何が憲法違反なのか。訴状には次のように書いてある。

「憲法第22条第1項は職業選択の自由を保障しており、またその実効性を担保しなければ職業選択の自由の保障を実質化できないことから、営業の自由が保障されている」

「本件とは全く無関係な原告個人の表現の自由の行使を不利益処分の根拠としており、表現の自由への過剰な規制として、本件命令に至る特措法の適用において違憲である」

要は、憲法で職業の選択、ひいては営業の自由が保障されているのに、役所にその権利を奪う権限はないし、憲法違反だと述べている。そして、見せしめに使用制限を出したのはホームページ上で時短拒否の理由を書いて公言したからであって、表現の自由を奪うものだと主張している。

提訴で求めた損害賠償額を104円としたのは、損害の補償が目的ではなく、憲法に違反する行為を世に問いたいからだ。ちなみになぜ104円なのか。1店舗当たり1円で、26店舗が4日間時短営業したので、1円×26円×4日=104円という計算だ。


クラウドファンディングのページには、長谷川社長の率直な思いが載っていた。長谷川氏の発言がすべてを語っていた。

「命令の事前通知書を見て愕然としました。命令の理由として、表現の自由を行使して社会に情報を提供したということ、それによる影響が強く追随する人が増えるから命令を出したという趣旨でした。その後、ニュースで見て、発令された事業所が27か所で、そのうち26か所がうちということで、これは憲法で保障されている表現の自由と法律の下での平等に違反しているんじゃないかと思いました」

同社は5月18日にも、再び東京都から出された休業命令に従わないことを表明した。これまた休業命令を出した東京都内の33店舗中23店舗が同社の店だった。徹底抗戦している。

無味乾燥なニュースの背後に、当事者の憤りや悲しみ、悔しさがある。ニュースは生き物である。私たちが当事者たちの思いも含めてニュースを理解すれば、「自分事」として考えることができる。

そのためにこそ、「原典にあたれ」が大事だ。

給与のデジタル払いに見え隠れする当事者の不安と課題

次の事例では、政府の資料を紐解いてみる。

テーマは「給与のデジタル払い」だ。

給与のデジタル払いとは、企業が銀行の口座を介さず、スマートフォンの決済アプリや電子マネーを利用して給与を振り込む制度だ。例えば、ペイペイに給与の一部を振り込む方法がある。

これをニュースではどう伝えているのか。

・政府の規制改革推進会議が給与のデジタル払いについて、利害関係のある団体にヒアリングを実施した。全国銀行協会や、労働組合の連合、制度を担当する厚生労働省などだ。
・これまで厚労省の労働政策審議会で議論をしてきたが、連合が慎重姿勢を崩さなかった。

給与デジタル払いは、電子マネーやQRコードを頻繁に使う人にとっては、便利だ。企業にとっても振込手数料を削減できる。今は需要が少ないが、外国人労働者をたくさん雇う時代になれば、ハードルの高い銀行口座を開かなくても、デジタル払いで簡単に済ませられる。海外への送金も、手数料の高い銀行口座からよりも、電子マネーを通してのほうが圧倒的に安い。

政府は給与のデジタル払いについて、2020年7月に閣議決定した成長戦略の文書に「2020年度できるだけ早期の制度化をはかる」と明記していた。ただ、**政府が前のめりでデジタル給与の導入を急ごうとする一方、労働者側が反対しているのが実態だ。**


何が問題なのか。

以下、給与のデジタル払いを議論している内閣府の規制改革推進会議のホームページの中に、労働組合連合や全国銀行協会が提出した資料が公開されている。その原典を元に慎重な理由を整理してみる。2021年4月5日、連合の仁平章総合政策推進局長が規制改革推進会議に提出した資料が原典の一つだ。「資金移動業者」というわかりにくい言葉が出てくるが、これはペイペイなどの電子マネーを扱う業者のことだ。

労働者側の懸念は次のようになっている。

「資金移動業者が破綻した場合、払戻までに時間がかかる」

「資金移動業者には銀行のように専業義務は課されていない。監督官庁である金融庁が監督指導できるのは資金移動業に係る部分に限られる。そのため、本体業務が危うくなった際、資金移動業にも大きな影響が及ぶことが懸念される」

「不正利用された場合の補償について、共通の保護規定はなく、事業者任せである」

「決済利用に伴う個人情報データの保護・取扱いについての検討が十分行われていない」

銀行と違ってキャッシュレス企業が破綻したら、補償がないという点を特に問題にしている。

全国銀行協会はどうか。真っ向から反論するのではなく、銀行口座がいかに便利かを強調した。

「三菱UFJ銀行の場合だと、夜9時までの自行ATMでの現金出金やオンラインを利用した同一銀行内の振込も手数料なし」
「1100超の金融機関の間で相互運用性を実現し、利便性が高い」
「2022年度早期に稼働予定の『ことら』で少額決済領域における銀行×資金移動業者の相互運用性は極めて安価に実現可能」

「ことら」は、大手銀行5行が導入の準備を進めている新しい決済インフラで、個人間で安価に少額送金できる。ある口座から他の銀行の口座へネットでお金を送ると、今は一般的に3万円未満で220円の手数料がかかる。これをできるだけゼロに近づけるのが「ことら」だ。つまり、銀行口座への振込でも電子マネーへの資金移動は簡単で安価と言いたいのだ。

一方、金融庁はどういうスタンスか。規制改革推進会議に提出した資料で次のように述べている。

「資金保全のため民間保険等による保証、適時の換金、不正引出しへの対策・補償が必要で、労働基準法施行規則に基づき、賃金の確実な支払いを担保するための要件を満たす一部の資金移動業者のみに限定すること」

政府の成長戦略の中で「早期に実現」と閣議決定しているためか、銀行側も金融庁側も「反対」と言いたくても言えないのだろう。歯切れが悪い。

規制改革推進会議ではなく、労働政策審議会の議論を読めば、反対の色はもっと濃い。労働政策審議会の労働条件分科会で委員が意見を述べている。2021年2月15日の議事録が公開されているので、それを読むと、次のような発言が出てくる。

「資金移動業においては、ポイント還元キャンペーンなどの実施によって、度々システムダウンが起こっていると認識しております。利用者にとって不利益となるようなトラブルが、銀行と資金移動業において年間どの程度起こっているのか」（労働側委員）

「外国人の方々が、口座をなかなか銀行でつくりにくいということで、このような資金の移動業者を利用するということを当初、ご説明されました。資金を移動しやすいということは、逆に本人確認の有無というのが非常に難しくなるというか、労働者から言われた資金移動業者の口座に、別途、契約をすることになると思うのですけれども、そこに振り込んだ場合、ちゃんと振り込んでいるのに入っていない場合、使用者責任になると非常に困るものですから、この点は重視をしていただきたいと思っております」（経営者側委員）

規制改革推進会議が首相の諮問を受けて、時の政権が実現したい政策の後押し役になっている。役所は異を唱えることはご法度とわかっている。一方の労働政策審議会は厚生労働大臣の諮問を受けるが、労使のルールを決める場。言いたいことは言えるので、労使とも主張が明確だ。

それにしても、なぜ給与のデジタル払いに政府が熱心なのか。

菅政権が掲げる政策の目玉の一つが、デジタル化だからだ。

キャッシュレス化が遅れている日本が海外にキャッチアップするためのキャンペーンとして、キャッシュレスによるポイント還元事業が行われ、最大5000円分の還元がされたことは記憶に新しい。

さらにキャッシュレス化を進める切り札が、給与のデジタル払いだ。

ところが、規制改革推進会議や労働政策審議会の労働条件分科会の資料や議事録を読めば読むほど、**導入は時期尚早に映る**。

メディアの情報を読むだけでは、たくさんの課題があることを知らないまま、なんとなく「給与がデジタル払いになりそうだ」と思ってしまう。それでは本質が見えてこない。自分の事として考えるために、審議会の議論をしっかり読み込むことが大事だ。

医療費窓口問題をスウェーデンと日本の比較から読み解く

原典にあたる場合、ネットに公開されている文書だけではなく、専門書や論文も読んで理解を深めると有効なときもある。

次の話は書籍などを利用して、理解を深めた事例だ。

私が出演しているラジオで「スウェーデンの福祉政策と日本の医療費窓口負担を比較検討してほしい」というリスナーからのリクエストがあった。

それを私が解説することになった。

きっかけは、医療費の窓口負担問題だ。

75歳以上の後期高齢者の医療費窓口負担を1割から2割にする対象を単身者で「年収170万円以上」を主張する政府と、「年収240万円以上」を求める公明党が対立した。結局は、間をとって「年収200万円以上」で決着した。

この結果、全高齢者の23%、約370万人が医療費窓口負担の引き上げの対象となる。実際の施行は、2022年10月以降だ。

医療費の窓口負担問題では、次のような課題がある。

・現役世代は3割負担なのに、高齢者が1割負担では逆差別ではないか、という世代間格差の問題。

・窓口負担の割合が複雑になっていて制度がわかりにくい。6歳未満の義務教育就学前は2割、就学児から70歳未満までは3割、70歳から74歳までは2割、後期高齢者は2割もあれば1割もある。70歳以上の所得の高い高齢者だと3割だ。

・窓口負担の話ばかり出ているが、後期高齢者の医療費は18兆円も支出されている。窓口負担は1・5兆円にすぎず、残りは税金と現役世代の保険料などでまかなわれている。

ここから浮かび上がるのは、医療費の負担割合を年収や年齢で区切っていいのだろうか、という疑問だ。つまり、根本的な議論をするために、例えばスウェーデンとの比較をしてみたらどうだろうか、というリスナーからの提案だった。

私自身は、それまで不勉強だったので、簡単に正しい答えを導き出せない。「高福祉・高負担」のスウェーデンと「中福祉・低負担」の日本を比べるのは、前提が違い過ぎる。それは土台無理だと思っていた。

リクエストに答えるために調べてみると、スウェーデンに学ぶべき点が多々あることがわかり、自分の無理解を悔いた。このとき原典にあたることが大事で、様々な情報を取り入れた。

専門家が書いている論文、審議会などでの議論に加えて、書籍もできるだけ読んだ。

特に**書籍は、一つのテーマを追っかけるワンテーマ・マガジンみたいなものだから、あるテーマを集中して理解するには、最高の手段だ。**

今回特に役立ったのは、次の2冊だ。初版の日を見て、できるだけ新しい本を選んだ。

『スウェーデン・モデル　グローバリゼーション・揺らぎ・挑戦』(岡澤憲芙、斉藤弥生編著、2016年1月初版、彩流社)

『北欧諸国はなぜ幸福なのか』(鈴木賢志著、2020年7月初版、弦書房)

前者は、早稲田大学の岡澤名誉教授をはじめ11名の学者が執筆している。スウェーデンの福祉政策から安全保障まで網羅的に理解できる。後者は、明治大学の鈴木教授が10年ほど家族と暮らしたスウェーデンの福祉について実体験を通して解説している。講演会の講演録なので、読みやすいし、最近の実態がよくわかる。

まずは現状認識からだ。日本とスウェーデンの状況は、似ている。

・男性の平均寿命（２０１６年）はスウェーデンが80・６歳で日本が81・１歳。女性はスウェーデンが84・１歳、日本が87・１歳。
・ＧＤＰに占める医療費（２０１８年）は、スウェーデンが11％、日本が10・９％。

一番違うのは、医療費をカバーするための消費税率である。

・スウェーデンが25％と、とても高い。日本は10％で軽減税率を適用している。

肝心の窓口負担はどう違うか。

スウェーデンでは、医療が公営サービスになっていて、その費用は税金でまかなわれている。窓口での自己負担分については、上限が決められているのが特徴だ。

・成人の自己負担額の上限は、自治体によって違うが、年間で１万円から１万３０００円。薬代は２万６０００円で、それ以上払う必要はない。
・入院費の自己負担額は、１日１２００円ほど。
・特別にかかる医療費もある。予防のための歯科治療は、別に３６００円。国が認めていない

薬は100%自己負担になる。

子どもに対する医療制度は手厚い。

・20歳未満の子どもは、医療費は無料。歯科も原則として無料。

・出産費用も無料。

・教育費は、大学の授業料も含めて無料。

日本でも、東京都の23区のように中学3年生までは医療費を無料にする自治体があるが、全自治体ではない。

窓口負担の少なさはスウェーデンだけの特殊事情ではない。

全国保険医団体連合会の調査によると、OECD（経済協力開発機構）加盟国の3分の1が、入院や診療に対する患者の一部負担をとっていない。一部負担がある場合でも、定額で済んだり、年額の上限が決められている。主要国を見ていくと次の通りだ。

・英国は、税で医療費がまかなわれていて、自己負担はなし。

図１　各国の医療費自己負担の比較

スウェーデン

窓口での自己負担分、上限が決められている。

成人の自己負担額の上限は年間で１万円から１万3000円、薬代は２万6000円。

入院費の自己負担額は、１日1200円。
※国が認めていない薬は100％自己負担になる。

英国

税金で医療費が賄われていて、自己負担はなし。

フランス

窓口負担は３割負担。ただ、国民の８割が自己負担分を補填する保険制度に入っていて、実質的には自己負担がない人が多い。

ドイツ

かかりつけ医に受診すれば、同じ病気だと１四半期で1250円の診察料で済む。

日本

６歳未満の義務教育就学前は２割、70歳未満までは３割。

70歳から74歳までは２割。

75歳以上の後期高齢者は１割だが、年収200万円以上は２割（2022年度後半から適用）。

所得の高い高齢者は75歳以上も含め３割。

・フランスは、窓口では3割負担だが、国民の8割が自己負担分を補填する保険制度に入っていて、実質的には自己負担がない人が多い。
・ドイツの場合は、かかりつけ医に受診すれば、同じ病気だと1四半期で1250円の診察料で済む。

こうして海外の事情がわかると、日本の課題が浮かび上がる。

日本の場合、年間にどれぐらい医療費を払わなきゃいけないのかが見通せない。健康な人はいいが、病気になって何度も病院にかかるとなると、窓口負担が重くのしかかってくる。先が見えない毎日になってしまう問題だ。

日本には「高額療養費制度」があって、1カ月の窓口負担額の上限を設けてはいる。ただ、年収によって上限額が違って、年収が370万円以下の人だと、自己負担の月額は5万7600円。これを年間に換算すると、69万1200円。スウェーデンの年額1万円からすると70倍近く負担しないといけない。健康な人と病気する人では、生活の安定度がまったく違ってくるし、病気になったら生活費を削らねばならないという不安におびえることになる。

もう一つ問題がある。病院で払う自己負担の割合がどんどん増えていることだ。それは、「**国民負担率**」というデータを見ればわかる。

国民負担率は、国全体の所得から国民が税金や社会保険料でどれぐらい負担しているのかの割合のこと。検索エンジンを使って調べてみると、財務省が2020年2月に報道発表していた。日本は2020年の見通しで、スウェーデンは2017年の実績の数字だ。

・スウェーデンは58・9%で、日本は44・6%。

もちろんスウェーデンが高い。

だが、注意しなければならないのは、日本は1970年に24%だったのが、1979年に30%台に入り、2014年に40%台に突入したことだ。**2025年には国民負担率が56%になるという試算もある。**

荒っぽく言えば、スウェーデンは多めに税金や社会保険料を取って、すべての国民に最低限の生活を保障している。子どもができても、年をとっても、失業しても、すべての国民が安心して暮らせるようにしている。

一方で、日本は高齢化が急速に進んでいるため、負担が増えるばかり。今後どこまで増えるのか。増えることだけは確実だから、国民の不安は増すばかりだ。

子育て中も老後も安心して暮らすには、先が見えるほうがいい。窓口負担が増えることをおそれて貯金して消費しないなら、国の経済はスムーズに回転しない。

消費税率の問題も付記したい。スウェーデンの消費税（付加価値税）は25％、日本は10％だ。スウェーデンみたいに高い消費税では生活できないと言う日本人は多い。

ただ、スウェーデンでは広く軽減税率が導入されている。食料品やレストランは12％、公共交通、書籍・新聞などは6％、家賃は消費税はなし、となっている。

税による負担感にあえぐというより、税金などで取られた分は福祉で返してもらっているというのが、スウェーデン国民の感覚だと専門家は指摘する。

国連が実施している幸福度調査でみると、「高福祉・高負担」の北欧の国が幸福度が高く、「中福祉・低負担」の日本は低い。**日本は低負担の看板を掲げながら、その実、高負担に向かっているのをなんとかしなきゃいけないことが様々な原典から読み取れる。**

もちろん、消費税をこれ以上は上げてほしくないといった意見も多いだろう。そういった福祉の議論をするためにも、メディアには載らない海外の実態を書籍や論文にも目を通して理解することが、自分の立ち位置を決める大事な思考プロセスになる。

chapter

06

数字を疑い、数字に頼る

科学的なエビデンスも恣意的に扱われれば真実を覆う

～正しく読み解き、社会の実態に迫る～

数字は魔物だ。ときに何も語らず、ときに私たちを騙し、ときに私たちを真実に目覚めさせる。

以前、米国のゼネラル・エレクトリック（ＧＥ）という発明王のトーマス・エジソンがつくった会社の工場を訪問したことがある。ＧＥは、航空機エンジン、医療機器、鉄道機器などを作る総合電機メーカーだ。

当時、「シックスシグマ」という統計的手法、データを用いた品質改善を行うのがブームになっていた。仕事のミスやエラー、製品の欠陥品の発生確率を１００万分の３か４にするという神業のような改善活動だ。

このシックスシグマの手法で製造拠点の品質が向上しているから「ぜひ見てくれ」というこ

とで、ニューヨーク州の工場を訪問したときだった。

シックスシグマ担当の偉い人が、グラフを使いながら、エンジン部品（だったと記憶している）の品質改善をどうやって可能にしたかを説明してくれた。詳細は忘れたが、不良率をグラフにして示した。

「不良率が大幅に改善しました」

前年に比べて格段の向上が見てとれる。満足げな顔をする担当幹部。しかし、私は内心疑った。

「出来すぎだ。まだ、新しい品質管理の手法を学んで、時間が経っていないのに、前年比でそんなに改善するのは、どこかおかしくないか」

そう思って、

「実数はどうなっていますか」

と尋ねた。担当幹部が困惑した顔になる。

「実数ですか……」

「そう実数です」

その結果、カラクリは簡単に見破ることができた。**作業工程を選び出し、そこを集中的に改善した結果だった。**

そのときの数字は企業秘密だったので仮定の数字で恐縮だが、こんなイメージの話だった。不良率が前年が5%だったのが、0・5%に改善した。1000個の製品の5%だと、50個に不良が出ていたことになる。0・5%の不良率なら、不良品は5個。

この場合、そもそも50個も不良品が出ていることが問題で、5個でも当時の日本企業より多い。5%から0・5%への変化と聞くと大幅な改善のように思えるが、不良率で議論する以前のレベルだった。

数字はいかようにも見せることができる。売り上げが飛躍的に増えたように見せたければ、グラフの縦軸を長くすれば、増えたように見える。

数字は怖い。

後日談だが、GEはその後、神業のシックスシグマを目指して改善を続け、数百万ドルのコスト削減に成功している。

「生活保護費減額訴訟」で論点となったデータの範囲

数字に騙されない能力が、裁判の結果まで動かすこともある。

その裁判が「**生活保護費減額訴訟**」だ。生活保護費を受給している人たちが生活保護の支給額を段階的に減らしたのは間違い、違法だとして訴えた。

訴えた趣旨はこうだ。

- **国は生活保護の支給額を2013年から2015年まで段階的に引き下げた。その結果、最大10%の引き下げが起きた。削減総額は670億円に及び、多くの生活保護費受給者の生活を苦しめた。**

生活保護費の引き下げは、物価の下落率を反映させるという国の算定基準があり、それに従ったものだ。物価が下落すれば、その分、生活保護費の受け取り額が減っても、実質的に生活を苦しめることにはならないという考え方にもとづいている。

これに対して全国各地で受給者が最低限度の生活を保障した憲法に違反していると主張して、引き下げの取り消しや国に慰謝料を求める裁判を起こしていた。

- **原告側は「物価下落率を計算する際に、国は不合理な指数を用いた」と主張。**
- **被告側の国は「合理的な経済指標などを総合的に勘案しており下落率の計算は正当」と反論**

していた。

「物価が下がったら生活保護のおカネも減らしますよ。実際、経済指標を計算したら10％下げることになりました」と国は言い、生活保護を受けている人たちは、「その計算に使った指標が間違っている」と反論したのだ。

判決はどうなったか。

・2021年2月、大阪地方裁判所は「最低限度の生活の具体化に関する国の判断や手続きに誤りがあり、裁量権を逸脱・乱用し、違法だ」として、支給額の引き下げを取り消す判決を言い渡した。

生活保護費の減額についての裁判は全国30カ所で起こされていて、2020年の6月には名古屋地裁で判決が出ている。その際は、原告の主張が退けられている。また、大阪地裁の判決のあと、3月には札幌地裁、5月には福岡地裁でも原告敗訴の判決が出ている。

では、なぜ大阪地裁だけが、国の計算基準が誤っていると判断したのか。
それは裁判官が、物価下落率の数字を冷徹に分析した結果だ。
森鍵一（もりかぎはじめ）裁判長の判断理由は次のようになっている。

①世界的な原油価格の高騰などで、消費者物価指数が大きく上昇した2008年を物価の変動をみる期間の起点に設定している。
②大きく物価が上昇した年をすべての起点としたら、その後の下落率が大きくなるのは明らかだ。
③加えて、考慮する品目にはテレビやビデオレコーダー、パソコンなど生活保護の受給世帯では支出の割合が相当低いものが含まれている。

「消費者物価指数」は総務省が毎月、データを公開している。消費者が購入するモノやサービスなどの物価の動きを把握するための統計指標だ。全ての商品を総合した「総合指数」のほか、価格変動の大きい生鮮食品を除いた500品目以上の値段を集計して算出されている「生鮮食品を除く総合指数」も発表されている。毎月出るデータなので、メディアで目にした方も多いはず。例えば次のようなニュースになる。

「2020年度の東京都区部の生鮮食品を除く総合指数は前年度と比べ0・2％下がった。低下は4年ぶり」

しかし、厚生労働省が生活保護の支給額の算定に使ったのは、総務省の消費者物価指数そのものではなかった。総務省の数字から生活扶助では買わないクルマや家賃などを除いた独自の指数だった。もっともらしい計算方法に思えるが、そこには落とし穴があった。

総務省の消費者物価指数の下落率が2・35％だったのに対して、厚労省の独自計算では倍以上の4・78％になった。

厚労省の独自試算の中には、生活保護を受ける人が一般世帯に比べて購入する割合が少ないテレビやパソコンまで計算に入れていて、これが総務省の下落率に比べて倍以上の下落率を招いた。

パソコンは内部部品の値下がりや買い替え期で平均販売価格が下がり、テレビは特殊事情で2010年前後には大幅下落した。

2011年7月からの地デジ化（地上デジタル放送への完全移行）を覚えているだろうか。古いブラウン管ではテレビが見られなくなった。そのため、家電エコポイント制でデジタルテレビへの買い替えを政府が推し進めた。競争が激化し、テレビの価格は大幅に下落した。

テレビ価格の大幅下落という一時的現象だけではない。厚労省は、テレビなどの下落率を総務省の計算より大きく見せる独自の計算式を採用していた。結果、テレビの下落率が総務省の計算の10倍膨らんだ。

大阪地裁は、算定の仕方について「判断の過程や手続きに過誤がある」との結論を出した。

では、一方の札幌地裁はどうして違法と言えないと判断したのか。札幌地裁は次のように判断している。

- **生活扶助基準の改定で、厚生労働相に裁量権の逸脱があったとは言えない。**
- **原告らが社会的、文化的面から見ても、最低限度の水準を下回っていると認められない。**

実に漠然とした情緒的な判決だ。「厚生労働相の裁量権の逸脱や乱用があるとは言えない」とあるが、行政側を有利に導くときに裁判所が使うのが「行政の裁量権」というあいまいな言葉だ。行政を守る魔法の言葉で、多くの裁判でこの裁量権が壁になっている。

「老後2000万円問題」を明らかにした幻の金融庁レポート

数字は真実に目隠しをする一方で、真実、実態を明らかにすることも多い。

国内ニュースで流れた「**老後2000万円問題**」を覚えているだろうか。金融庁が2019年にまとめた報告書「高齢社会における資産形成・管理」が火をつけた問題だ。レポートは、「年金だけでは足りませんよ。自分で資産を増やさないと老後が大変なことになりますよ」と警告する内容だった。

結果として、政府が年金制度改革のキーワードにしている「年金100年安心プラン」がウソだと、意図せず見抜いてしまった。

報告書には次のように書いてある。

「夫65歳以上、妻60歳以上の夫婦のみの無職の世帯では毎月の不足額の平均は約5万円であり、まだ20～30年の人生があるとすれば、不足額の総額は単純計算で1300万～2000万円になる」

不足額は、長生きの度合いによって変わるため、その金額には開きがある。

・夫85歳、妻80歳まで生きたとして1300万円の不足。
・夫95歳、妻90歳まで長生きしたとして2000万円の不足。

最大2000万円不足するので、「老後2000万円問題」と言われるようになった。専門家からは「実際は3000万円以上足りない」という意見も出ていた。

足りない分は金融資産という名の貯金の取り崩しで個人的に補わねばならない。

金融庁の報告書は次のように指摘する。

「老後の生活においては年金などの収入で足らざる部分は、保有する金融資産から取り崩していくこととなる。65歳時点における金融資産の平均保有状況は、夫婦世帯、単身男性、単身女性のそれぞれで、2252万円、1552万円、1506万円となっている」

ちなみに、世帯主が60歳以上の2人世帯で、貯蓄高が2000万円以上の世帯は2019年の数字で38%だ。

となると、**6割の高齢世帯が最後の最後は「赤字世帯」になってしまう。**

報告書は、2000万円不足するというシミュレーションから何を語りたかったのか。それは次の文章だ。

「重要なことは、長寿化の進展も踏まえて、年齢別、男女別の平均余命などを参考にしたうえで、老後の生活において公的年金以外でまかなわなければいけない金額がどの程度になるか、考えてみることである」

ライフステージによって老後の生活の対応を記してある。

・現役期であれば、長期・積立・分散投資による資産形成の検討をすべき。
・リタイア期前後であれば、自身の就労状況の見込みや保有している金融資産や退職金などを踏まえて後の資産管理をどう行っていくかを考えること。

要は、金利がほとんど付かない貯金、預金が多い日本人に対して、投資信託などへの投資で自分の財産を長期に増やす資産形成が必要だと言っているのだ。

同じ金融庁のレポートが日米の家計の金融資産の伸びを比較している。過去20年間にどれぐらい懐のカネを増やしたかという試算だ。

・日本の家計1・54倍
・米国の家計3・32倍

日米の家庭がそれぞれ１０００万円持っていたら、20年後、米国の家庭は３３２０万円に増やしていたのに対して、日本の家庭は１５４０万円にしか増えていなかったということになる。米国は金融資産の46％を株式投資したり投資信託に預けたりしているのに対して、日本は株式投資や投資信託は15％しかなく51％が預金・貯金しているだけだから、こんな違いが出てしまう。

そもそも日本の1・54倍の伸びというのは、誤解を招く数字だ。多くの人は金利を生まない銀行への預金や郵便局の貯金にしている。一部の人が株で資産を増やしているから伸びた数字で、１０００万円の金融資産は20年後も１０００万円のままという家庭が多いだろう。ましてや、金融資産がない家庭は、増やしようもない。

老後２０００万円問題に話を戻すと、金融庁のレポートは勇気ある提言だった。

「年金だけでは足りませんよ。自分で資産を増やさないと老後が大変なことになりますよ」と警告したのは、これまでの役所の報告書では言いたくても言えなかったことだ。結果として、**「１００年安心」という政府の約束が砂上の楼閣であることが浮き彫りになった。**

当時の麻生太郎金融担当相はこの報告書について、「正式な報告書としては受け取らない」と述べ、受理しなかった。

数字に雄弁に語らせた結果、金融庁の報告書は幻のレポートになった。

「倒産件数、20年ぶりの低水準」の裏側にある実態

自分の生活実感と違ったり、見聞きした情報と正反対の情報だったりしたときは、疑いを持って調べてみよう。

新型コロナウイルスによる企業の倒産件数で、意外な数字が出てきた。ニュースは次のように報じている。

・信用調査会社「帝国データバンク」によると、2020年度、1000万円以上の負債を抱えて法的整理の手続きをとった企業の数は7314件で、前の年度より13・8％減った。倒産件数は20年ぶりの低水準。

この数字に違和感を覚える人もいるはずだ。新型コロナウイルスによる「不要不急の外出自

粛」で飲食業や観光業などが直撃を受け、倒産した会社が多いと思っていた人は多いだろう。**「別の事情があるのだろう」と思い至れば、倒産のニュースの裏側を読み取ることができる。**

倒産ではなく休業・廃業が多いのではないか。私は、そう疑って調べてみた。

まず、先に用語の違いをはっきりさせておく。

休業は、一時的に事業をやめることだ。コロナ対策の緊急事態宣言で多くの飲食店が休業を要請された。休業しているうちに、会社をやめてしまう廃業も多い。

廃業は、経営者が自主的に会社をやめることだ。儲からないからという理由もあるが、後継者がいないとか、年を取ったのでこれ以上働きたくないという理由もある。

倒産が赤字続きだったり、借金が首をしめたり、苦しくて会社をやめるのに対して、廃業は、儲かっているうちにやめようというハッピー解散もある。

さて、検索してみると、「東京商工リサーチ」の分析リポートに出会った。その骨子は次の通り。

・2020年に全国で休廃業した企業は、4万9698件で、前年に比べて14・6%も増えている。

・これまで最多の２０１８年を抜き、２０００年に調査を開始以降、最多を記録した。
・２０２０年の企業倒産は、コロナ禍での政府や自治体、金融機関の資金繰り支援策が奏功し、２年ぶりに減少しただけに対照的な結果となった。

新型コロナによる影響が大きいはずなのに、なぜ倒産件数は下がり、休廃業は増えたのか。ヒントは、休廃業した経営者の年齢分布にある。

・休廃業した企業の41・7％が、代表者の年齢は70代だった。
・60歳以上でみると84・2％と8割を超えた。

新型コロナ対策として持続化給付金や家賃支援給付金などが出たほか、新型コロナ特別貸付なども行われている。例年になく資金繰りを補えたため、倒産は少なかった、というわけだ。

一方で、新型コロナウイルスによる影響が長期化しそうという観測から、先は見通せないと「あきらめ型の休廃業」が増えたと東京商工リサーチは分析している。

東京商工リサーチによれば、中小企業の３社に１社が「過剰債務」の状態にあるとの調査結果も出た。倒産はしていないが、借金だけが積み上がった中小企業が多い。

マクロ的視点で言えば、本来つぶれて当たり前の企業が公的資金で生き残った（ゾンビ企業と呼ぶ）が、将来に展望を持てない小さな会社がなくなるケースが増えたということだ。

日本の医療構造の問題をあぶり出す衝撃的数字

新型コロナウイルス関連のニュースで衝撃を受けた数字がある。

・4％弱

これは日本国内の病床総数（ベッド総数）のうち、コロナ対応が可能なベッド数の数字だ。

2020年、聞こえてきていたのは、
「医療機関の医者や看護師はコロナ感染者のために寝る暇もなく頑張っている」という話である。実際に、コロナ対応をしている病院の医師、看護師らは、疲労困ぱいの毎日である。

ところが、どれぐらいの病院がコロナ対応をしているのか。それは海外の病院と比べて多いのか、少ないのか。そういった客観的なデータがほとんど出ていなかった。

病院の医師や看護師がコロナ対応する映像がテレビを通して映し出されたため、医療機関はどこもコロナ対応で忙殺されていると錯覚させられた人も多いはずだ。

以下は、OECD（経済開発協力機構）がまとめた数字で、人口1000人当たりの病床数（2019年）だ。

・日本13床
・ドイツ8床
・フランス5・9床
・イタリア3・1床
・米国2・9床
・英国2・5床

日本はベッド数は多いことがわかる。では、なぜコロナ病床が逼迫するのだろうか。

ここで「4％」という衝撃の数字が登場する。感染症への対応が可能な病床は全体約73万床。そのうち**コロナ向け病床は約2万8000床で、4％弱の比率にとどまる。**

つまり、ベッド数が100あれば、コロナ対応をしているのは4ベッドだけ。これが実態である。コロナ対応をしているかどうかは、公立か民間かによっても違いが出ている。

病院種類別のコロナ対応病院の比率は次の通り。公立病院は自治体が母体の病院で、公的病院は、厚生労働省が指定した日本赤十字社などが設立した病院だ。

・公立病院53％
・公的病院69％
・民間病院14％

この数字を見ると、公立病院・公的病院の中でコロナ対応しているのは半分以上あるが、民間病院の中でコロナ対応しているのは、少数だとわかる。

日本の私立病院はコロナ対応に冷たいのかという疑問が湧く。

いや、そうではない。ここには医療界の構造的問題がある。

それは次のような課題だ。

・公立・公的病院は自治体からの補助金が出るのに対して、民間病院は自前で稼ぐ必要がある。

・小さな医療機関が多いため、コロナ患者や発熱外来の診察室を別途作ることもできない。
・小さな医院は、医師が少ない。設備も整っていない。
・国民皆保険は、医療機関が大儲けできない仕組みになっているため、民間病院は常に病床を埋めていないと赤字になってしまう。医療機関への通院を避ける患者が多いため、既に赤字の医療機関は多い。

誰が悪いという話ではないが、非常時であっても国が民間医療機関に指令できる仕組みがないのが問題だ。


政府の失政を数字から見ることもできる。

わかりやすいのは、新型コロナウイルスのＰＣＲ検査数だ。日本の検査数の少なさはご存じの通りだが、まずは経緯を振り返ってみる。

２０２０年、政府は、クラスター対策に絞ったコロナ対応を行った。

感染者を増やさないために、クラスターの濃厚接触者を探し出して、中等症、重症者を病院に入院させ、軽症者はホテル、自宅で療養させてきた。

最初は政府のクラスター対策はもっともな方法だと思わせた。しかし、感染者が増えてしまったために保健所が機能不全に陥り、濃厚接触者を追っかけるのをあきらめる自治体まで出てしまった。時間が経つに連れてわかってきたことは、**若者を中心に無症状者による感染が増え、クラスター対策だけでは無策に等しいということだ。**

そのころ、多くの国民は海外ではPCR検査を大量に行っている情報に接して、日本政府のコロナ対策に疑念を抱くようになった。さらには変異株が広がり、改めてクラスター対策の限界を感じたのが2021年春である。

厚生労働省のホームページには、新型コロナウイルスについて最新情報が掲載されている。国内の感染者数、死亡者数、入院治療等を要する人の数、退院または療養解除となった人の数などを確認することができる。

そこに2020年2月18日から今日に至るまでのPCR検査総数が記載されている。

例えば、5月9日時点でPCR検査数は、空港の検疫も含めて1100万件を超えた。

これだけでは、検査数が多いかどうかはわからない。ニュースを深く理解するには、第2章で紹介したように国際比較が大事だ。

その作業を実際にやってみよう。

海外の検査数はどれぐらいの規模で、どういう推移をたどっているのだろうか。

厚生労働省のサイトで、その情報を得ることは難しい。「海外の状況」という欄があるが、2020年1月20日の中国・武漢市の情報以降は、まったく更新されていない。完全に放棄した開店休業状態だ。

外務省のサイトに飛んでも、リアルタイムでわかる情報はほとんどない。そもそも、役所のサイトはビジュアル面で劣っていて、不親切だ。

オックスフォード大学が世界の各国・地域のコロナ関連の数値を出している。感染状況をまとめている統計サイト「ワールドメーターズ」だ。そこのデータを紹介しよう。

2021年5月10日現在のPCR検査累計数はどうか（図2）。

・日本1200万件（厚労省との数字にずれがある）
・英国1億6300万件
・米国4億5800万件
・フランス7900万件
・ドイツ5600万件

100万人当たりの検査数のデータは省くが、日本は世界で145番だ。劣等国である。英

図2　国内と海外のPCR検査数（2021年5月10時点）

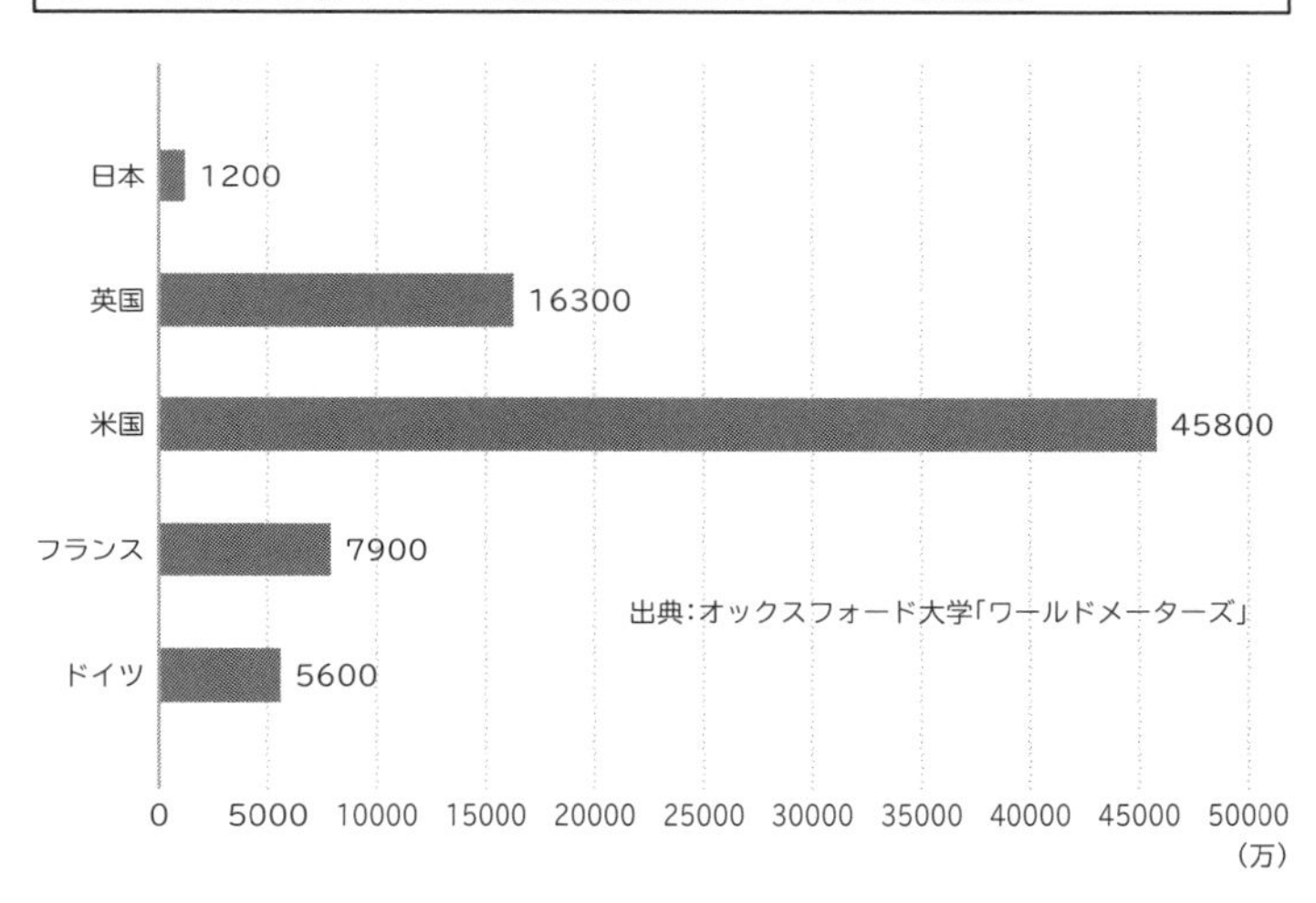

国などはワクチン接種が進んだために、検査数の伸びが鈍化しているのはうれしい話だが、日本は4月から3回目の緊急事態宣言を出した国だ。

以上から日本の対策について次の評価ができる。

①クラスター対策だけに重点を置いた戦略の失敗である。

②「積極的疫学調査」「行政検査」と称して、保健所以外に検査を任せなかった失敗である。

「行政検査」は、行政以外に検査をさせないという意味にも聞こえる。感染症対策の総本山である国立感染症研究所や、それに連なる保健所、地方衛生研究所の**「公衆衛生ムラ」だけで事を運ぼうとした硬直性が仇となった。**

「公衆衛生ムラ」が聖域になっているのは、「厚労省の科学研究費を奪われたくないからだ」「国立感染症研究所から地方の衛生研究所に天下りたいからだ」といった批判があるが、あまり当たっていないだろう。

「自分たちが感染症について一番知っている」というおごりがあるのではないか。

そんな中で、コロナウイルス感染症が突然到来してしまい、**民間企業を巻き込んでオールジャパンでコロナ対策に当たろうという柔軟性を持てなかった。**

旧来の仕組みを壊していくのは政治の役割だが、それができるほどの政治家がいなかったということだ。

感染者数の増大で保健所の機能が麻痺し始めると、濃厚接触者を探し出す積極的疫学調査を放棄する県も出た。感染力の高いコロナウイルスの変異株を見つけ出すには、コロナ感染者の5％から10％にしか実施していない変異株ＰＣＲ検査だけでは難しい。

２０２１年3月になってようやく、変異株のＰＣＲ検査を40％に引き上げる方針が示された。この段階では、民間の機関や大学などに頼るしかなくなった。

ＰＣＲ検査の軽視が招いた後手後手の対策である。

生産性やジェンダーギャップの指標で日本の現状を捉える

本章の最後は国際比較できるデータを用いて日本のポジションを捉えてみる。日本生産性本部の公表数字を並べてみよう。「経済的豊かさ」を示す国民1人当たりGDP（国民総生産）では、日本は37カ国中21位だ（図3）。GDP全体では米国、中国に次いで世界第3位だが、1人当たりで見ると決して高くない。1990年代に6位まで上昇したが、その後は下落の道をたどっている。

1人当たりGDP、豊かさを上げていくには、労働生産性を上げていく必要がある。しかし、**日本の労働生産性はG7（主要7カ国）で最下位である**（図4）。

このデータは就業者1人当たりの稼げる額を出したものだ。

順位はOECD加盟37カ国中26位だ。グラフは出していないが、就業1時間当たりの労働生産性で見ると、日本は21位。主要先進7カ国でみると、データが取得可能な1970年以降、最下位の状況が続いている。日本は米国の約6割の水準に相当する。

日本が競争力があるとする製造業に絞ってみても、図5のようになる。

日本の水準は、米国のおおむね3分の2。製造業でも利益額、利益率の高い製品を開発し、販売しなければ、他国にキャッチアップはできない。

図3　国民1人当たりGDP(2019年)

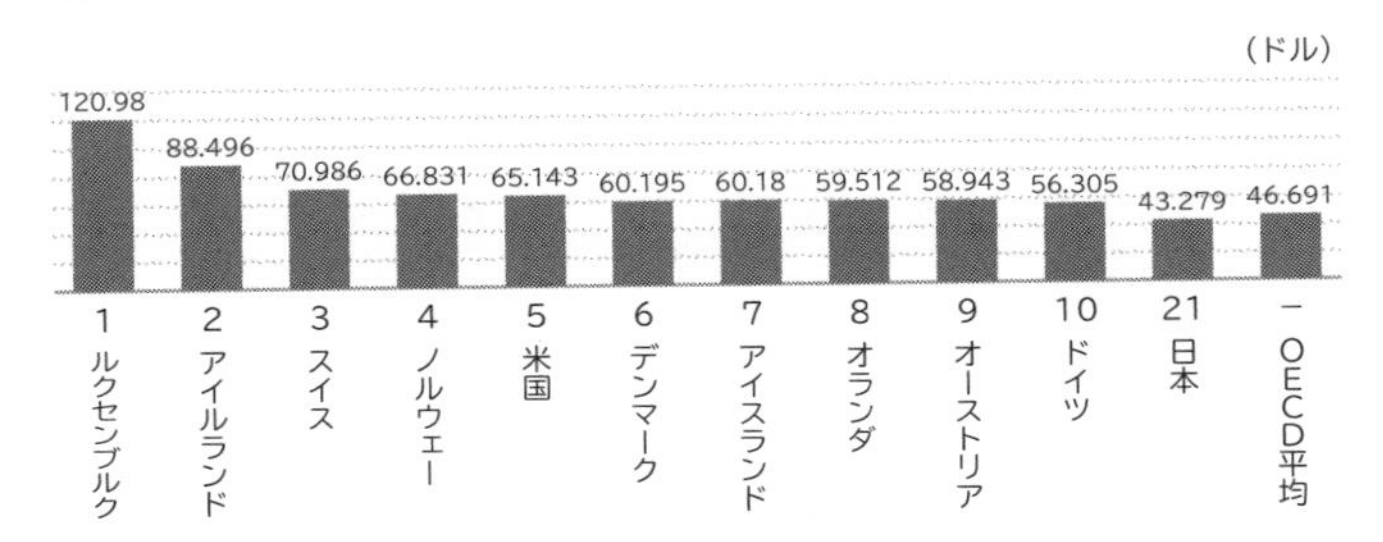

出典:日本生産性本部「労働生産性の国際比較2020」

図4　就業者1人当たりの労働生産性(2019年)

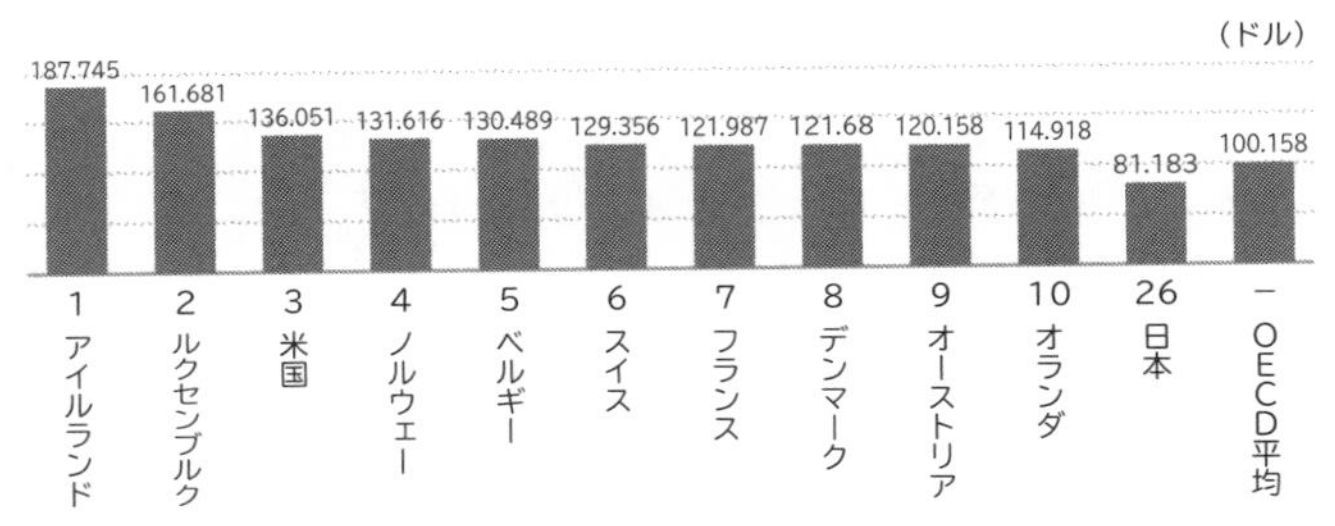

出典:日本生産性本部「労働生産性の国際比較2020」

図5　製造業の労働生産性(2018年)

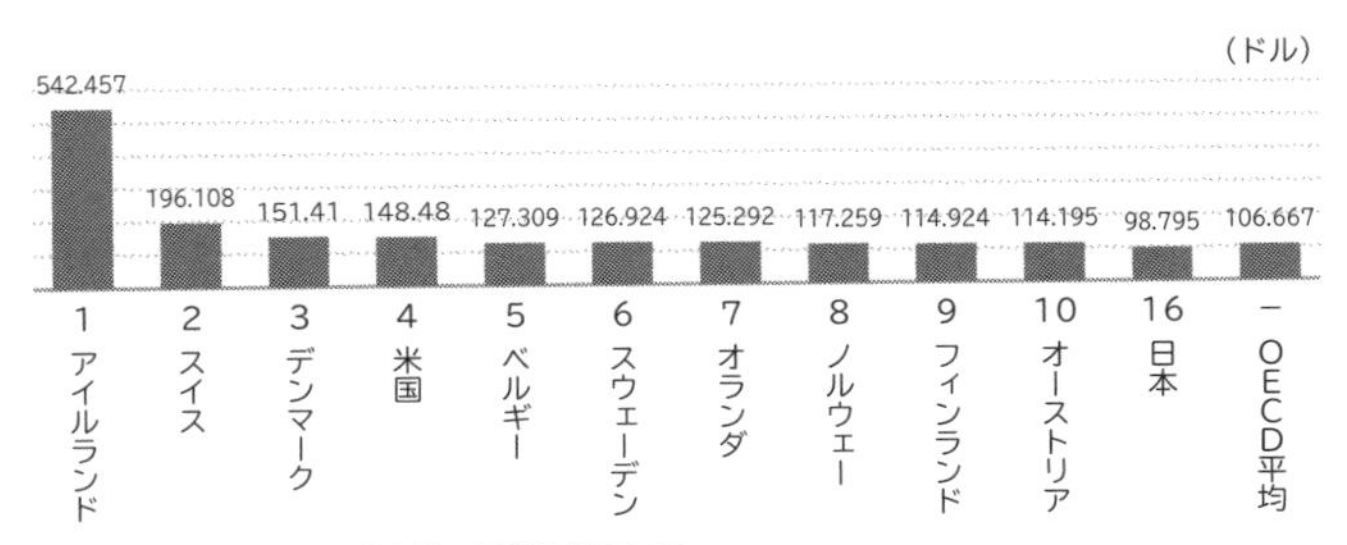

出典:日本生産性本部「労働生産性の国際比較2020」

図6　ジェンダー・ギャップ指数の上位国および主な国の順位(2021年)

1	アイスランド	0.892
2	フィンランド	0.861
3	ノルウェー	0.849
4	ニュージーランド	0.840
5	スウェーデン	0.823
6	ナミビア	0.809
7	ルワンダ	0.805
8	リトアニア	0.804
9	アイルランド	0.800
10	スイス	0.798

11	ドイツ	0.796
16	フランス	0.784
23	英国	0.775
24	カナダ	0.772
30	米国	0.763
63	イタリア	0.721
81	ロシア	0.708
102	韓国	0.687
107	中国	0.682
120	日本	0.656

出典:世界経済フォーラム「ジェンダー・ギャップ指数2021」

もう一つ、日本が大きく出遅れている国際比較の指標がある。

それは「**ジェンダー・ギャップ指数**」だ。男女平等の度合いを示す世界経済フォーラムの「ジェンダー・ギャップ指数」で、日本の順位はどれぐらいか。2021年版で見てみよう(図6)。

・日本156カ国中120位

こちらも主要7カ国で最下位だ。

ジェンダー・ギャップ指数は総合順位のほか、「政治」「経済」「教育」「健康」の分野に分けても順位を出している。

一番低いのは、政治だ。政治全体で147位。とりわけ国会における女性議員の比率が

140位と低いのが目立っている。

実は日本には、国会や地方議会の選挙で男女の候補者数をできる限り均等にするよう政党や政治団体に求める法律がある。正式名称は「政治分野における男女共同参画の推進に関する法律」で2018年に施行された。

これはフランスの「パリテ法」という法律を真似たものだが、一つだけ大きく違うことがある。それは、フランスのパリテ法が男女同数から外れると政党助成金を削られる。それに対して、日本にはそんな罰則はない。罰則があれば、日本はすぐ動き出すはずだ。

ほかに、**「経済」分野では、日本は総合で117位。**女性管理職比率が139位と出遅れている。政府は2003年に「2020年までに女性管理職比率を30%にする」と目標を設定したが、達成できなかった。

なんとも情けないデータを示したが、数字が厳しい現実を教えてくれる。

最後に、日本人の価値観が理解できる調査があるので、紹介しておこう。

それは、電通総研と同志社大学が共同で行っている「世界価値観調査」だ。延べ100以上の国と地域を対象にしている。

2021年3月に発表された最新調査から「日本の9つの特徴」が浮き彫りになったと、同調査は分析している。

【仕事】「余暇」重視、「仕事」の重要度は国際的に低い
【ジェンダー】「同性愛」への受容度は、ヨーロッパなどの先進国に次ぐ高い水準
【自由の価値】重視するのは「安全」＞「自由」＞「平等」の順番。人生の自由度は低いと感じている
【メディア】マスメディアを信頼。新聞、テレビから「毎日情報を得る」が48カ国中1位
【科学技術】「科学技術によってより大きな機会が次世代にもたらされる」が8割
【政治】「政治」の重要度は高いが話題にしない。「国家」に安全を求めるが「権威」を嫌う
【環境vs経済】「環境保護」と「経済成長」との間で逡巡する人が多い
【家族】「家族」が重要で信用しているが、両親の長期介護への義務感は低い
【次世代】子どもに身に付けさせたい性質に「決断力」「想像力・創作力」を重視

日本人の価値観が大きく変わっていると感じる項目が多い。
仕事では、「余暇時間が減っても、常に仕事を第一にする」に対して「反対」が59％で、これは77カ国中2位。仕事ばかりで有給休暇を取らない昭和な価値観から、まずは自分の生活、

家庭第一という新しい価値観へと日本人が変化している。

ジェンダーについては、同性愛に対する受容度は、55％が「認められる」としており、75カ国中18位。「ジェンダー・ギャップ指数」が低いのに、受容度は高い。女性活躍も実行すれば、国民は受け入れるということだろう。

家族に対しては、「家族の人を信用している」が71％で、30位。家族との生活は重要だと思っているが、「両親の長期介護を担う義務がある」という設問に「賛成」は25％で77カ国中73位と低い。

親に対する愛情が他国に比べて希薄なのか。介護保険制度が整い、介護施設が増えているため、専門家に任せるべきだと機能的に考えているのかどうか。


いかがだろうか。

もちろん数字だけでは、見えないことも多い。

本章の前半に紹介した、生活保護費支給の裁判にしても、生活保護費だけの問題ではなく、受給者が働ける環境づくりや生きがいを感じられる生活環境づくりも必要だろう。

生産性が低いのも、価格の高い製品を生み出せない技術力の低下の問題が大きい面もあるだろう。

数字は私たちの問題意識を触発してくれるが、解決策は数字以外のところにありそうだ。

chapter 07

割り切れない
ニュースは
徹底的に対峙する

報道の熱が冷めたあともニュースは動く
急いで結論を出さなくてもいい

～専門家と専門機関の情報を活用する～

私たちは日々、たくさんのメディアと接触している。新聞、テレビ、ラジオ、雑誌、キュレーションメディア、ソーシャルメディアまで多岐にわたる。

キュレーションメディアは、ネット上にある情報を集めて整理して並べるメディアだ。「スマートニュース」や「グノシー」が有名だ。

ソーシャルメディアは個人が情報発信し、相互にやりとりできるのが特徴だ。「フェイスブック」や「ツイッター」などがこの分類に入る。不特定多数の人がコミュニケーションをするメディアだが、ニュースをキュレーション型で提供している。

本章では、やっかいなニュースを扱うときに、各メディアの特性を生かして理解を深めるやり方について話を進めていく。

やっかいなニュースとは何か。それは次のような場合だ。

- **論点が多すぎる**
- **論点が定まらない**
- **論点がわかりづらい**

私はこのようなテーマを扱うニュースを「割り切れないニュース」と呼んでいる。ニュースは白黒をはっきりさせるほうが、気持ちはすっきりする。だが、結論を急ぐと自分が自分をミスリードしてしまう。

結論を急ぐより、たくさんの論点を整理し、多角的な検討を加えるほうが有益な場合もある。多角的検討をする場合、メディアを多活用するだけではなく、自分が信頼する専門家のブログや発言にも目を配りたいし、専門的な機関が発信している情報も活用したい。

汚染水の海洋排出問題を当事者の意見から考える

やっかいなニュースの例として、まずは東京電力福島第一原発の汚染水の問題を取り上げる。

次の数字を覚えておいてほしい。

- **国の基準の40分の1**
- **世界の基準の7分の1**

ニュースの要点は次の通りだ。

・政府は2021年4月13日、福島第一原発で増え続ける処理水の海洋放出の方針を決定した。
・福島第一原発は東日本大震災の津波で炉心溶融事故を起こしたが、今でも高濃度の放射性物質に汚染された水が発生している。
・東京電力が専用装置でほとんどの放射性物質を取り除くが、処理した水には放射性物質のトリチウムが含まれている。
・処理済み汚染水を収容しているタンクは1000基を超え、2022年秋にはタンクが満杯になる。

・2年後（2022年）を目途に第一原発敷地内から放出に着手する。

普通の感覚なら、「放射性物質を海に垂れ流すなんてけしからん」となる。

実際、韓国政府は「絶対に容認できない措置」と反発し、中国外務省も「深刻な懸念」を示す談話を発表した。国内でも全国漁業協同組合連合会が「到底容認できるものではない」と抗議するコメントを出した。

焦点の「トリチウム」について、科学面から理解してみよう。

次の情報は新聞やネット検索で得られるレベルのものだ（カッコ内は私の感想）。

・**トリチウムは放射性物質だが、水素の仲間**（水素だと水に近いから安全そうな響きだが、果たして安全なのか）。

・**原発の稼働によって人工的に発生するほか、宇宙線の影響で自然界でも常に生成されている**（自然界にも普通にあるのか。ちょっと理解しがたい）。

・**酸素と結びつき、水とほぼ同じ性質の「トリチウム水」となる**（水素と酸素が結合すれば水、トリチウムと酸素が結合したら「トリチウム水」か。わかったようでわからない）。

・トリチウム水が海や川、雨水、水道水、大気中の水蒸気に含まれ、人間は普段から体内に取り込んでいる（大気だけではなく、我々の体にも住みついているとは知らなかった）。

科学的説明を読んだり聞いたりしたら、安全そうに思う。麻生太郎財務大臣が「あの水を飲んでも何ということはない」と発言したのは、普段から体内に取り込んでいる、自然界にも存在する物質だと強調したいがためだろうが、タンクに貯めるほどだから、完璧に安全とは言えないはずだ。

中でも調べて一番驚いた事実は次の内容だ。

・国内外の原発からトリチウムは海に放出されている。震災前は全国の原発から毎年計３５０兆ベクレル前後が海に放出されていた（普通に海に流している？　なのに福島原発のトリチウムを含んだ水を流すのは何が問題なのか）。

後日、取材で知り合った経済産業省の幹部が「**国内外の原子力施設からの年間トリチウム放出量**」と題した資料をくれた。

世界地図の上に各国が液体として、また気体としてトリチウムを放出している量が記載され

図7　日本国内におけるトリチウム水の年間放出量

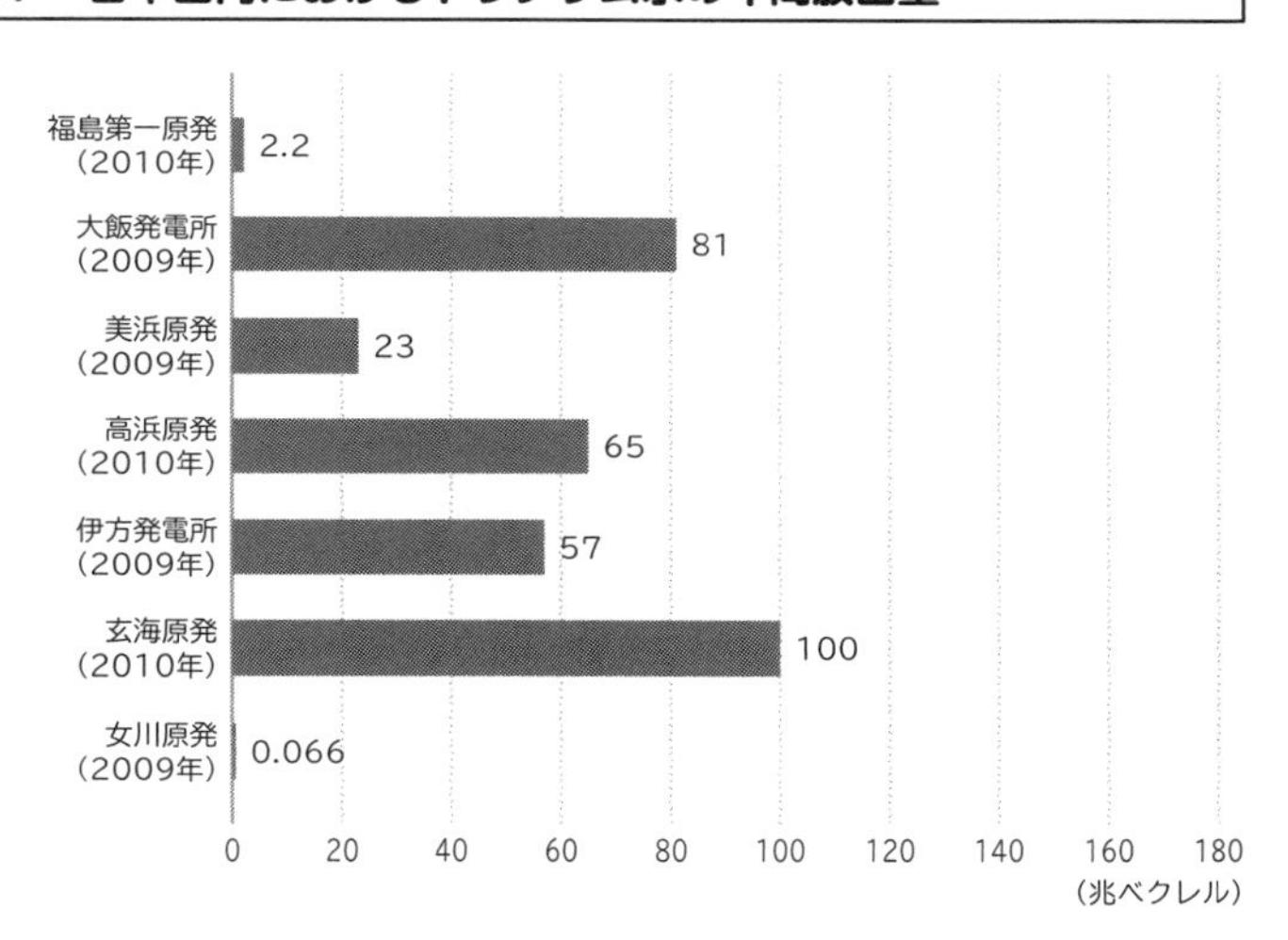

図8　海外におけるトリチウム水の年間放出量

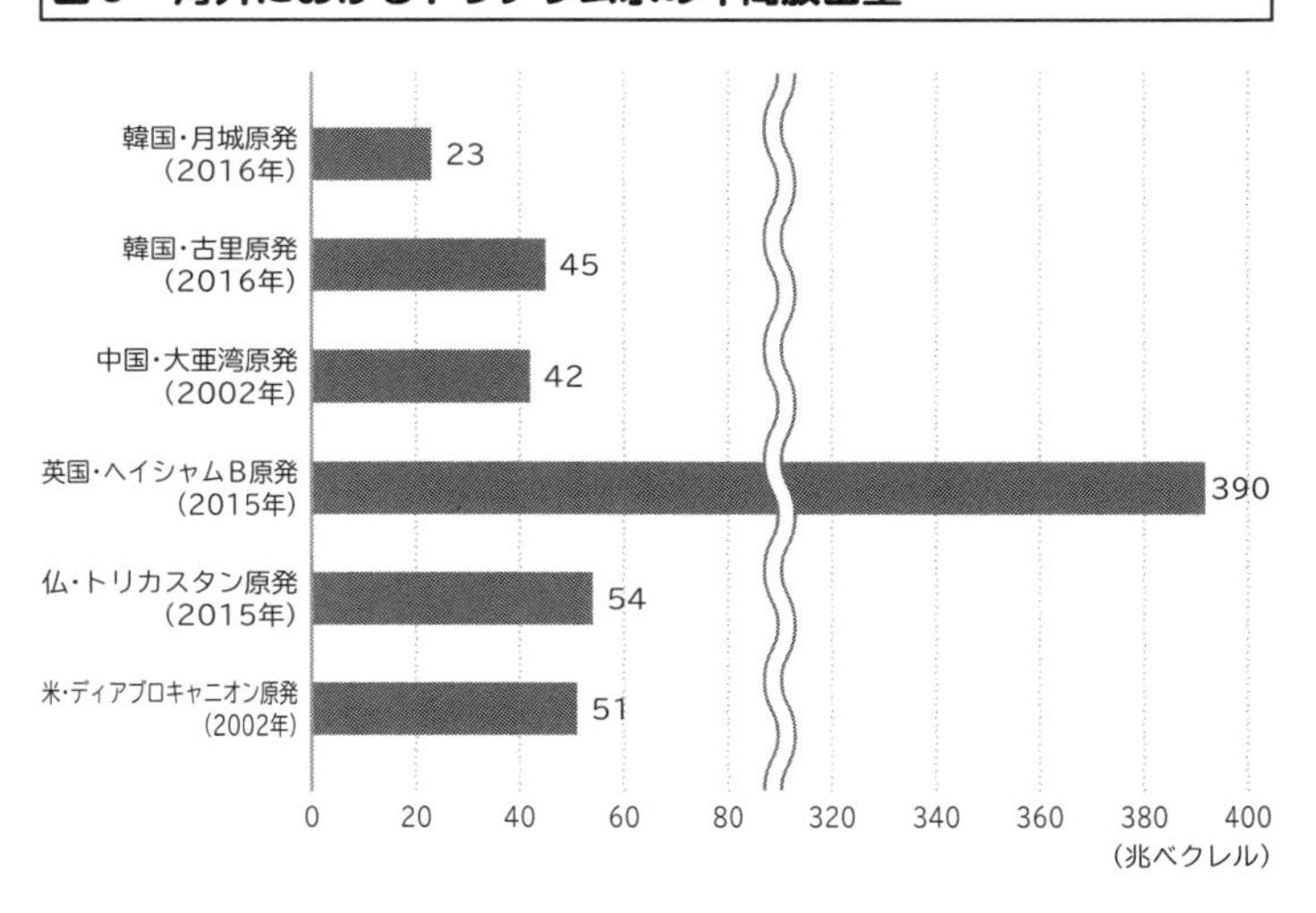

ている。海への放出が焦点になっているので、ここでは、液体による放出量を並べてみよう。図7は国内の年間放出量だ（いずれも２０１１年の東日本大震災前の数値）。女川原発の排出量は億単位だが、他の原発と比べると少ないように見えるから、数字は怖い。

では、海外原発の年間放出量はどうか。図8の通りだ。

海外は英国のヘイシャムB原発のように、ケタ違いのトリチウムを放出している国も多い。並べて見ると日本は優等生に映るから、不思議だ。

次は海に流す基準について調べてみよう。調べることは労力や気力がいるが、その苦労を楽しみにしてほしい。ネット検索で「トリチウム　海洋放出　基準」などを検索すれば、いくらでも次のような情報が出てくる。

・日本は通常の原子力施設で発生したトリチウム水を海洋放出する際の規制基準を1リットルあたり6万ベクレルとしている。

「この濃度の水を70歳になるまで毎日約2リットル飲み続けても、日本で1年間に自然界から受ける放射線による被曝量と同等かそれ以下」というウソみたいな例え話まで解説されている。

・東電はタンクに貯まる処理水を海洋放出する際に、放出前に処理水を海水で１００倍以上に薄め、１リットルあたり１５００ベクレル未満にする。

これが冒頭に挙げた、国の基準の40分の1の水準のことだ。ＷＨＯ（国際保健機関）の国際基準の7分の1の水準になる。国や国際機関が定めた排出基準よりかなり低い濃度で流すことを強調した数字だ。

では、海外の反応はどうだろうか。

中国や韓国、台湾など日本に近い国が処理水の海洋放出に反対していることに対して、それ以外の国や国際機関はもろ手をあげて賛成し、支持の意を打ち出した。

どんな支持なのか。ＩＡＥＡ（国際原子力機関）のグロッシー事務局長は、次のように言って日本国政府の対応を評価した。

「私はこの重要な公表（処理水の処分方法の公表のこと）を歓迎する。これは、福島第一の廃止措置に向けて重要なステップである。日本の要請に際して、ＩＡＥＡは日本の計画の安全性や透明性の実行をレビューする技術的支援を提供する準備がある」

手放しで歓迎している。米国のブリンケン国務長官はツイッターで次のように述べた。

「私たちは、日本が福島第一サイトの処理水の処分に関する意思決定について、透明性のある努力をしたことを感謝する」

世界中に迷惑をかけている事故の後始末の話なのに「感謝」されてしまっているあたりは違和感を覚えるが、言いたいのは**「透明性のある実行」を遵守してね、**ということだ。

「日本政府よ、勝手なことはしないでくれ」

「早く廃炉のプロセスを進めてくれ」

とクギを刺しているのだ。

ここで頭の中を整理してみよう。

- **科学的にみれば、処理水を流すのは基準以下だ。**
- **国の基準の40分の1に薄めて放出する。**
- **国際機関や米国政府は処理水の海洋放出には賛成だ。**

海外で海に放出している基準よりも厳しくした基準で流すのに、何が問題なのだろうか。反対や反発が国内にあるのはなぜだろうか。キツネにつままれたような話に聞こえる。

ここから割り切れないニュースを多角的に見ていく。多角的視点を得るなら、テレビの討論番組が役に立つ。

私は次の番組をお勧めする（放送時間は2021年6月時点のもの）。

・BSフジの『プライムニュース』（毎週月〜金曜日の夜8時から）
・BSテレ東の『日経プラス9サタデー ニュースの疑問』（毎週土曜日の朝9時30分から）
・BSTBSの『報道1930』（毎週月〜金曜日の夜7時30分から）
・フジテレビの『日曜報道 ザ・プライム』（毎週日曜日の朝7時30分から）

共通する特徴がある。

①ワンテーマをじっくり討論する。
②その分野の専門家が登場する。
③キャスター（司会）も的確に相手に突っ込む。

フジのザ・プライムの前々身の番組である『報道2001』には、しばらくの間、私も登場していたし、毎週コーナーを持って担当したこともある。最近は、ショー化しているが、地上波での討論番組として頑張り続けている。

ＢＳテレ東の日経プラス９サタデーは、日経ビジネス時代の後輩である山川龍雄氏が、聞きづらいことも切り込んで質問する。「ニュースの疑問」と番組タイトルを付けてあるだけあって、不明な点が鮮やかに明らかになる。

ＢＳが時間をかけて討論番組ができるのは、各局ともに番組制作費が地上波に比べて、涙が出るほどに少ないためでもあるが、それが功を奏している。カネをかけすぎないため、作りこまれたウソっぽい番組にならずに済んでいる。素のままオンエアしているところが最高だ。出演者のハプニング発言もあり、楽しめる。

私は、この４つの番組はすべて録画しておく。使い方は自分なりに決めている。

・テーマや登場人物で興味のないときは削除。
・のらりくらりとしてはっきりした主張をしない政治家が出る場合も削除。
・有名人でも、いつも言うことが同じ評論家が出たら削除。

そのうえで、１・５倍速で見ながら、斬新な切り口で語り合っている場合は、巻き戻してじっくりと拝見することにしている。ネットでも、討論番組を流しているところはあるが、一流の専門家と一流の司会者が丁々発止やっているプログラムは少ない。

トリチウム水の海洋放出に話を戻そう。こうした討論番組を含めていろいろな情報源にあたりながら、どうして反対意見が出るのか、整理してみたい。

反対意見の多くは、「3つの問題」に集約できる。

①決定までのプロセスの問題
②風評被害の問題
③東電への不信

一つ目の問題は、決めるまでのプロセスだ。

汚染水の処理方法から始まり、核燃料デブリの取り出しなど廃炉に向けた作業の責任は東電にある。しかし、何十年にもわたる作業である点や、国際的理解が必要な作業であることから、政府が方針を決め、東電が実行することになっている。

なので、東電や経済産業省がタッグを組んで、地元との交渉に当たらねばならない。

ところが、じっくりと漁民たちと話をしておらず、これが、こじれた最大の理由だ。
・東電は2015年、福島県漁連に対して「関係者の理解なしには、いかなる処分も行わない」と約束した。

最初から海洋放出だけが案だったわけではない。最初は、5つの選択肢が示された。

①基準以下に薄めて海に放出する案
②加熱して蒸発させ、大気中に放出する案
③電気分解して水素にして大気中に放出する案
④地下深くの地層に注入する案
⑤セメントなどに混ぜて地下に埋める案

2020年2月、この議論が煮詰まらないうちに次の2つの案に絞られた。

①海洋へ放出する案
②蒸発させて大気に放出する案

案が絞られたあと、2020年春に7回、「御意見を伺う場」を開いたが、地元民や漁民たちと腹を割って議論した形跡はない。「御意見を伺う場」では、漁民の一人が質問したことに対して、その場にいた役人か東電の社員が何も答えなかった。質問した人が、

「答えてください」

と詰め寄ると、

「ここは、ご意見をお聞きするところなので」

と答えたのには驚いた。

誰も当事者意識を持たず、腹を据えて議論もせず、6年、7年と歳月がムダに流れた。そして2021年4月、**原発事故から10年経ったとき、海洋への放出が突然決まった。**タンクが2年後に満杯になるから、菅総理をけしかけて意思決定させたというのが本当のところだろう。


2つ目の問題は、「風評被害」だ。

中国、香港、台湾、韓国、マカオの5カ国・地域では、東北や関東といった一部の都県で生産された食品の輸入を受け入れていない。米国など37カ国・地域は検査証明を求めている。自国の原発からは当たり前のようにトリチウムを含んだ水を流している韓国でさえ、東北などの水産物を嫌がっているのだ。

輸入を受け入れない国に科学的根拠があるわけではないが、福島第一原発の爆発などの映像が世界中に流れてその印象が強いだけに、説得は厄介だ。科学や数字だけではどうしようもない。

3つ目の問題は、東電に対する不信だ。

東電が「関係者の理解なしには」と約束したにもかかわらず、反故にした。それだけではない。「本当にトリチウム以外を取り除いた薄めた処理水を流すのだろうか」という疑念がある。**2018年に、処理済みとした汚染水を貯蔵しているタンクから放出基準値の最大2万倍にあたる放射性物質が検出された。**浄化したはずの汚染水89万トンのうち、8割にあたる75万トンが基準を上回っていた。

2021年3月には、柏崎刈羽原発で核物質のテロ対策の不備が見つかった事件が起きたばかり。

東電がトリチウム以外の放射性物質を取り除き、処理水を海に流すという約束を信じろと言われても、信じようがない。排出基準のずっと少ない量を流すのだから安全と言われても、約束を守らず、安全対策を怠ってきた東電に対する不信がある以上、反対、反発の動きはおさまらない。

風評被害も実は、東電の監視を徹底することが一番の解決策かもしれない。

処理水海洋放出の問題の整理は、ここで終わらない。もっと深く考える材料を、BSフジ『プライムニュース』が教えてくれた。

登場したのは、次の3名。

・元原子力規制委員会委員長・田中俊一氏
・元水産庁漁場資源課長・生態系総合研究所代表理事・小松正之氏
・自民党政調会長・下村博文氏

福島第一原発の事故の翌年に発足した原子力規制委員会で初代委員長を務めた田中俊一氏は、次のように語った。

「(化粧水の瓶と同じくらいの小瓶を見せながら)福島第一原発にあるトリチウム水の総量はこの小瓶に入っている程度です。わずか57ミリリットルです。80万トン近くあるタンクの量と比べたら、本当に少ない」

その上でいらだちを隠さなかった。

「私は最初からトリチウムのような排水は規制基準以下にして海に排出するしか方法がないと言ってきた。膨大な時間がかかる原子炉の廃炉のことを考えると、**なぜ安全な水を流すためにこんな長い時間をかける必要があったのだろうか**」

東北の復興を真剣に考えるなら、福島原発の廃炉作業をできるだけ早く行い、住民が地元に帰れる状態にすべきだということだ。

国と東電は、廃炉の完了は2041年から2051年の間だとしている。しかし、使用済み燃料の取り出しは、当初の計画から10年近く遅れる見通しだ。溶け落ちて建物にくっついたままの核燃料デブリの取り出しはまだ見通しが立っていない。

もっと難しいハードルがあるのに、なぜ汚染水・処理水という最もハードルの低い問題で、無為に時間を費やしたのか。田中氏は、廃炉の先行きに不安を覚えているのだろう。

田中氏の発言は、「廃炉の完了」という大きな目標に向けた視点を与えてくれる。

一方、小松氏は、別の視点で次のように語った。

「**原発の温排水は日本近海の漁獲量を激減させ、沿岸漁業を崩壊させ、福島の漁業を壊滅させた**」

小松氏は水産庁に入って、国際捕鯨交渉を担当した人物だ。米ニューズウィーク誌の「世界が尊敬する日本人１００人」に選ばれたこともある。

小松氏の指摘は、世界中で流されている原発の温排水を問題にした。原発から放出される排水は海洋の温度よりも7度から10度以上も高温。そのため、河川水のプランクトン、栄養分とバクテリアが死滅している。原発の近くにある沿岸漁業を壊滅状態に追い込んだと小松氏は訴えた。福島の沿岸漁業も同様だということだ。

私たちは地球の温暖化を防ぐために各国が温室効果ガスの排出量を減らすことに必死だ。プラスチックを海に流さないために、ビニールの買い物袋を使わないようにしている。なのに、原発の温排水は、基準以下だからと流す。それが、問題だと小松氏は指摘する。

・**東北の復興のための廃炉の問題**
・**原発の処理水の海洋放出による沿岸漁業の衰退の問題**

いかがだろうか。田中氏や小松氏の立場はまったく正反対だが、私たちに深い洞察と、多様な視点を与えてくれる。私たちはニュースを読むと、まだ深い情報を得ていないにもかかわらず、「賛成」「反対」とか「イヤだ」「気に入った」などの気持ちになってしまう。そこをグッと我慢して調べていけば、もっと広くて深い視点を得ることができる。

専門家が危惧する個人情報保護法改正の本質

次も、簡単には割り切れないテーマだ。**個人情報保護にまつわる法律改正についての論戦**である。

個人情報保護法の改正について一番の争点は、あなたの情報を匿名加工して勝手に使われるのは是か非か、という点だ。反対の人はこう言うだろう。

「私の同意がないのに私の個人情報を企業などが使えるのは、私の権利を侵害している」

一方、賛成の人はこう反論するだろう。

「匿名加工するんだから、皆さんの名前や行動がわかるわけじゃない。そんなことを恐れるよりも、皆さんのデータを集めてビッグデータ解析すれば、新型コロナウイルス対策のための街中の人出情報のような有益な使い方ができる」

反対の人が再反論する。

「匿名加工といっても、どこからどこまで加工するか、個人には知る由もない」

「コロナ対策のための街中の人出情報は、スマホの利用者たちに最初に同意を得て使っている。同意がなければ、自分の個人データが勝手に知らない会社に使われて、いつの間にか人権侵害される」


さて皆さんはどうだろうか。賛成派か、反対派か。

どうしてこんな議論が沸き起こっているのか。それは、**2021年9月発足の「デジタル庁」のためだ。**

デジタル庁は、日本政府のデジタル化の遅れを一元的に管理し、デジタル政府を推進していく司令塔だ。これまで各府省でバラバラなコンピューターシステムを使っていたが、デジタル庁のリードで標準化していく。紙で行ってきた行政手続きのオンライン化にも取り組む。

平井卓也デジタル改革大臣は、「すべての行政手続きをスマートフォン一つで60秒以内に可能にする」と豪語する。いいことずくめのように見えるデジタル庁の発足だが、個人情報保護のテーマでは意見は二分している。

デジタル庁の創設に合わせて改正された個人情報保護法は、「デジタル改革関連法案」として63本の法律が一つに束ねられて審議された。

二つの大きな特徴がある。

①自治体ごとに決めていた2000もの個人情報保護のルールをなくし、国の基準に統一。
これは「2000個問題」と呼ばれている。

②氏名などを匿名にすることで、行政に集まる個人データを民間が利活用できるようにする。
これまでのように本人の同意は必要なし。ビッグデータで解析するビジネスを盛んにするための措置だ。

政府はデジタル庁の発足に向けた個人情報保護法の改正にあたって「デジタル社会を形成するための基本原則」を閣議決定した。

・誰一人取り残さない
・人に優しいデジタル化

「誰一人取り残さない」は、SDGs（持続可能な開発目標）の大原則と同じだし、「人に優しいデジタル化」なんてことができれば申し分ない。しかし、これはお題目に過ぎないと、法律改正に反対する人たちは言う。

こうした問題を理解していくために、私はテレビの討論番組も参考にする。その上で、専門とする団体の知恵を借りることで理解を深めた。

例えば、個人情報では、特定NPO法人「情報公開クリアリングハウス」の分析が大変役に立つ。この団体は、公的機関に対する市民の知る権利の保障を求めて活動を続けている。

活動は活発だ。

・森友学園問題の「事実」を明らかにすることを求める声明。

・東京2020オリンピック・パラリンピック競技大会に係る文書等の保管及び承継に関する条例（案）に対する意見。
・新型コロナウイルス感染症に関する情報公開と記録の作成・保存についての要望。

多岐にわたる活動は目を見張るものがある。

ホームページを開くと、「特集：デジタル関連法案」というコーナーができていた。18本の連載が掲載されている。三木由希子理事長が書いている。新聞紙面では掲載できないほどの大量の情報が整理されているので、何が問題点なのかを理解する上でこの上ない参考資料だ。

このサイトの指摘も踏まえて、問題点を探っていこう。

特に問題視されているのが、**「自己情報コントロール権」がないがしろにされたこと**だ。

「自己情報コントロール権」は、自分の情報がどこにあるのかを把握し、利用に制限をかけたり、登録されている情報の削除を要求できる権利のことだ。

この権利があると、例えばグーグルの検索機能を使ったり、情報を見たり、ネット取り引きをしたりした人が、グーグルに対して自分の検索履歴や取引履歴の情報をどう扱っているのかを請求できる。また、削除を要請することもできる。

これからは行政機関が把握した個人データを企業などが匿名加工して使えるようになるだけ

に、自己情報コントロール権はとても大事な権利と受け止められていた。

しかし、**デジタル改革関連法案には自己情報コントロール権は、盛り込まれなかった。**なぜなのか。

「この権利には様々な見解がある」と政府は言っているが、個人データの積極的な利活用の妨げになると考えている節がある。

日本弁護士連合会も3月、この問題について会長名で反対声明を出した。

「デジタル改革関連6法案は、流通するデータの多様化・大容量化への対応による利便性を強調する一方で、自己情報コントロール権を明記しておらず、情報の主体である個人の権利・利益への配慮が十分なされているとは言い難く、プライバシーや個人情報の保護を後退させるおそれが強く危惧される」

もう一つ、**「センシティブ情報」(要配慮個人情報)を政府が勝手に集めるのではないかという懸念がある。**

センシティブ情報とは具体的には、思想・信条、身分、人種、社会的身分、病歴、犯歴、そのほか社会的差別の原因になる個人情報を指す。

条例で個人情報のルールを個別に定めてきた自治体は、自らに厳しいルールを課してきた。

とりわけ、思想・信条の関わる情報は原則取り扱ってはならない、としてきた。

情報公開クリアリングハウスによれば、センシティブ情報の収集制限の規定を設けているのは、都道府県の95・7％。収集制限を規定していないのは、岡山県と鹿児島県だけだ。

「この二つの県は、本人からの直接収集の原則、適正取得義務、センシティブ情報の原則収集禁止のいずれの規定もなく、国と同レベルの規制なので、国から見れば『優等生』ですね」と三木理事長は皮肉っている。

今回の国の法律では、自治体の個人情報保護に関する条例をすべて廃棄し、国の法律で統一させた。「2000個問題」を解消するためだ。そこでは、人種、信条、病歴、犯歴などを「要配慮個人情報」と定め、不要な取得はしないとした。

「自治体と同じルールじゃないか」

そう思われるかもしれないが、**「収集禁止」とは明記していない**。「不要なら」と条件を付けている。誰が「不要」と考えるのかも問題。「不要でない」としたら収集できることになる。

つまり、**政府は、必要と考えれば、国民の思想・信条を監視できるということ**だ。

「取り越し苦労でしょう」と思われるかもしれない。しかし、現実に思想・信条に関わる個人の情報を外部に提供しようとしていた未遂事件が発覚している。

それは、2020年4月の参議院本会議でのこと。共産党の田村智子議員の質問だった。

防衛省が、国を相手取って米軍横田基地の夜間飛行差し止めなどを求めた訴訟の原告の情報を外部に提供しようとしていたことが明らかとなったのだ。

防衛省の個人情報ファイルには、「横田基地夜間（飛行）差止等請求事件ファイル（訴訟原告名簿）」など同裁判に関わるものが15本も入っていた。ファイルには、原告の名前、生年月日、年齢、職業、本籍、損害賠償額が記録されていた。どの部分を加工して外部に提供しようとしていたのか実態は判明していない。

これでは国に逆らう国民の情報は、「加工はするが外部に売り飛ばすぞ」と言っているようなもの。「収集禁止」を明確にうたわないと、行政機関は拡大解釈して、思想・信条の情報を集めてしまう。そういったリスクを防ぐための予防措置を国は講じていない。

いろいろなメディアを使って、論点を整理したり、新しい切り口を見つけたりする方法は、無意識のうちに実行している人も多いかもしれない。だからこそ、メディアもそれぞれに得意、不得意があることを意識して情報を扱っている。

メディアの特性を生かせば、メディアもまだ捨てたものじゃない。

調査報道が減るメディア
〜現状と課題〜

時の政権の問題を暴くのが週刊誌の役割になってしまい、新聞社やテレビ局などの大手メディアの力が弱くなっているのではないか。最近、そんな声を聞くことが多くなった。コラムでは、この本の編集者である板橋正時さんと筆者との対談形式で、メディアの今を読み解いてみたい。

板橋　大手メディアの力が弱まっていると感じます。総務省接待問題を最初に報じたのは『週刊文春』でした。新聞社も放送局も、後追いでした。総務省が放送の認可権を握っているので、テレビ局は総務省に頭が上がらない。そんな構造が影響しているように思えます。

酒井　回りくどい言い方で恐縮だけど、総務省接待問題を追及して得られたものは何だったのでしょうかね。東北新社の子会社が放送法の外資規制に違反したとして衛星放送事業の認定を取り消されたことですかね。ですが、取り消されたチャネルの契約数は６５０件だけ。外資規制違反も、事務手続きミス。外資の議決権比率が20％を超えたときに、超える分は議決権に加えない事務手続きをすればよかったのに、しなかっただけの話です。

東北新社にいる菅義偉首相の長男が接待に加わっていた事実から、菅首相と東北新社の癒着の疑惑が暴き出せたかといえば、成果はない。新聞社など大手メディアが力がなかったというより、大手メディアが調査報道すべき巨悪ではなかったと言えないでしょうか。

ビジネス界からは、次のような意見を聞きました。

「国家公務員倫理規程に反して利害関係者と会食していたことは問題だが、会食をしたことだけで国会の審議が一色になるのはどうなんですか。この事件で携帯電話料金の値下げ圧力が総務省からなくなった。デジタル時代の通信のあり方について議論が停止した。5Gの推進、6Gのビジョンづくりも止まった。政治家は誰も処罰されていない。官僚をトカゲのしっぽ切りにしただけではありませんか」と。

板橋　新聞社やテレビ局などの大手メディアから、政権を揺さぶるニュースが出てこないのも事実です。何が原因なのでしょうか？

酒井　私は、メディア業界の構造変化が一番の原因だと思っています。構造の変化とは、ニュースがネット中心になってきたことです。

新聞社やテレビ局などの既存メディアにとって一番の衝撃は、「タダニュース」の登場です。グーグルニュースやヤフーニュースなどがニュースを無料で提供するようになりました。ヤフーニュースやグーグルニュースが巨大化しただけではなく、フェイスブックやツイッターなどのソーシャルメディアも発展しました。

それに対して、新聞社などの既存メディアも、ネットメディアを立ち上げ、新興ネットメディアに応戦しました。

ネットメディアの広告収入は、ネットメディアへの読者の訪問数などで決まります。この訪問数をページビュー（ＰＶ）と言います。新聞社のサイトとネットメディア専業とでどれぐらいの差があるかを、月間のＰＶで比べると、ヤフーが月間２２５億ＰＶ、朝日新聞が2億ＰＶで、１１０倍以上の差があります。訪問者数だけなら、ネット専業の圧勝です。

この結果、新聞社やテレビ、雑誌、ラジオに振り向けられていた広告費がネットメディア、ソーシャルメディアに流れていきました。

新聞で言えば、従来の売り上げは、広告が半分、購読料収入が半分だった。しかし、ネットメディアに広告費を奪われて、広告収入が激減し、購読料収入も減る中で、新聞は苦境に陥った。

ネットメディアが主流になると、ＰＶが大事なので、「デジタルファースト」という速報に中心が置かれ、ニュースも量が大事になります。それは、新興ネットメディアでも新聞社サイトでも同じ。この結果、「発表報道」「発表記事」が幅をきかせ、「調査報道」が影を潜めたと言えます。

板橋　発表報道と調査報道についてわからない読者もいると思います。その違いについて説明してください。

酒井　まず、役所や企業などが記者会見したり、ニュースリリースとして資料をメディアに流したりします。新聞社やテレビ局の記者は各省庁などにある記者クラブに所属しています。役所が記者クラブに資料を持ち込んで、補足説明をしてくれますので、その場から動かなくても記事が書けます。

こうした役所や企業の発表資料をもとに書いているのが「発表報道」「発表記事」です。本書で「一次報道」と言っているのも、多くがこの発表報道です。

膨大な発表資料の中に埋もれてしまうほど大量の発表が役所や企業から流されてくるので、記者はそれを処理するだけで一日が終わってしまう。

以前だと、発表資料は共同通信社や時事通信社というニュースを配信する会社に任せて、自分たちは書きたい独自記事を書いていました。ところが、ネットメディアが隆盛してきて、自分たちもデジタルファーストで速報を自社メディアに流し、さらに紙のメディアにも書き分けねばならなくなっています。

他方、調査報道は、各メディアが独自に取材したものです。権力側が隠している事実を、関係者を丹念に取材して掘り起こし、権力者をギャフンと言わせるのです。為政者側が話したくない真実を掘り起こすので、取材に時間がかかります。取材してみたら、空振りなんてこともある。

考えてみてください。調査報道には少なくても2、3カ月はかかります。それが成功して世の中を驚かせても書ける本数は、10本とか20本。一方、発表記事なら、1日10本ぐらいは書けます。ネットと紙で書き分けたら、1日20本書ける計算になります。

調査報道だと2、3カ月かかる記事本数が、発表報道なら1日で済みます。だから、どうしても発表記事が優先されてしまいます。これが大手メディアが弱くなった最大の原因だと思います。

板橋　なるほど。では、調査報道の重要性を知る意味で、世の中をアッと言わせた記事を教えてください。

酒井　毎年、日本新聞協会が調査報道の中でも特に優れたスクープ記事を表彰しています。

2020年は「戦没者遺骨の取り違え公表せず」の一連のスクープなどでした。これは、シベリアで収集した戦没者の遺骨が日本人ではないとする鑑定結果が出ていたにもかかわらず厚生労働省が公表していなかった事実をえぐり出しました。取材したのは、NHKの「遺骨問題」取材班です。

2019年は、共同通信社による「関西電力役員らの金品受領問題」のスクープや秋田魁新報社による「イージス・アショア配備問題を巡る『適地調査、データずさん』」などです。日本経済新聞もあります。2019年に受賞したのは、連載企画「データの世紀」とネット社会に関する一連の調査報道です。

私は雑誌記者でしたし、取材力もなかったので、新聞協会の賞とは縁はないのですが、一つだけ関わったことがあります。

古い話で恐縮ですが、1981年に毎日新聞社の斎藤明・政治部編集委員（後に社長、故人）が受賞した「ライシャワー元駐日大使の核持ち込み発言」は、国会が空転するほど大問題に発展しました。このスクープは、元駐日大使エドウィン・ライシャワー氏が、当時毎日新聞にいた古森義久氏の取材に対して「米国の艦船が核兵器を積んだまま日本の基地に寄港していた」「米国が勝手に寄港したのではなく、日本政府との合意事項だ」と発言した事件です。これは、「非核三原則」に違反する重大問題でした。

斎藤編集委員にあこがれて毎日新聞社を受験し、入社することが決まっていた私がお手伝いしたのは、斎藤編集委員ら取材班のインタビューのテープ起こしでした。ラロック元海軍少将らのテープがありました。

毎日新聞の連載の中でじっくりと核の持ち込み問題を提起しようとしていた斎藤氏は「今な

ら、ライシャワー元大使が話すのではないか」と考え、当時、ワシントンにいた古森氏に依頼して、読み通り、爆弾発言が飛び出したのです。

板橋　調査報道は国民に重要な問題を知らせる役割があることがわかりました。一方、テレビに目を向けるといかがでしょう。調査報道は激減していませんか？

酒井　もともとテレビ局の調査報道は少ないです。数多くの取材陣を抱えているのは、NHKぐらいです。そのNHKは、『クローズアップ現代＋』という番組でかんぽ生命保険の不適切販売を摘発した。ところが、日本郵政グループの抗議を受けて続編の放送を延期してしまいました。

このかんぽの不適切販売問題は、日本郵政の長門正貢社長ら郵政3社長が辞任に追い込まれる大事件に発展しますが、腰砕けのNHKには賞賛の声はなく、批判にさらされました。『クローズアップ現代＋』の取材陣は悔しい思いをしたでしょうね。

板橋　大手メディアが弱くなったのは、経営上の問題だけでしょうか？　役所などに記者クラブがあり、部屋をタダで貸してもらっているから、権力に弱いという指摘もあります。

酒井　よく記者クラブ問題を指摘する声は多いけれど、昔から記者クラブはあって、役所からの発表もたくさんありました。それでも、調査報道はかなりの数がありました。本質的な原因ではないと考えます。

新聞社やテレビ局は、記者クラブに張り付く記者以外に、本社にいて調査報道を手がける「遊軍」というチームを抱えています。私のイメージは、取材力の凄いベテラン記者が遊軍に配置されています。記者クラブの記者と遊軍の記者が連携して特別取材班がつくられ、発掘型の記事、調査報道をしています。記者クラブ制度があるから、調査報道が減ったというのは、本質的な原因とは思えません。

メディアの経営問題以外で、メディアが弱くなった原因は、安倍前首相時代の「安倍一強政権」にメディアがしてやられたということではないでしょうか。

板橋　安倍第二次政権は、2012年12月から2020年9月まで7年8カ月続きました。

酒井　安倍第二次政権時代に起きた問題は、学校法人「森友学園」の国有地大幅値引き売却疑惑、学校法人「加計学園」の獣医学部新設の許可問題、首相主催の「桜を見る会」疑惑、森友学園問題にからむ公文書改ざんなど疑惑のオンパレードでした。

安倍首相が2020年8月に辞任表明したとき、朝日新聞が「記録も記憶もなくす官僚」とうまい見出しを付けました。「桜を見る会」の参加者名簿を求めると「既に破棄した」と答えています。森友学園との価格交渉の記録について聞かれると、財務省の佐川宣寿理財局長（当時）は「ございませんでした」と回答しました。加計学園について聞かれたら、「記憶にない」と繰り返しました。

これらは官僚の人事権が官邸に移ったことが大きく影響しています。

それまでは、各省庁で人事を決めていました。ところが、2014年に「内閣人事局」がつくられ、官僚の幹部人事は官邸が握るようになりました。政治主導と言えば聞こえがいいが、政治家の思惑で人事が決まるようになったのです。

当然、人事権を握られた官僚は、官邸、政治家への「忖度(そんたく)」をせざるを得ない。忖度によって、「記録にない」「記憶にない」と答えましたが、それ以上のことをしていることが明るみになりました。それが、公文書の改ざん事件。森友学園問題にからみ、文書14件が改ざんされていました。

改ざんだけではありません。改ざんに関わったとして自死した財務省近畿財務局職員の赤木俊夫さんが、改ざんの経緯を記した「赤木ファイル」について、その存在を認めてきませんでした。

ほかにもあります。桜を見る会の疑惑を巡っては、招待者名簿が5年もの間、未記載だった。これは公文書管理法規定に違反しています。

「記録にない」「記憶にない」だけではなく、改ざん、隠ぺい、意図的未記載まで安倍一強時代に行われました。

権力者を暴く取材は、心ある政治家や官僚がリーク（情報漏洩）する情報がきっかけになることが多いです。安倍一強時代は、官僚が官邸に忖度し、メディア側の情報源が限られました。新聞社を中心にメディアも対抗して調査報道を試みましたが、最後の最後は肝心の公文書を暴き出せないために、中途半端に終わってしまいました。

板橋　安倍政権から菅政権に移り、その傾向は変わりませんか？

酒井　安倍政権の末期からそうですが、菅政権では新型コロナウイルス対策が中心になりました。本書の中でも書いていますが、ＰＣＲ検査の少なさ、ワクチン接種の遅れ、国産ワクチンの開発遅れなどは海外との比較が簡単にできるため、調査報道しなくても、菅政権の失政を報じて批判することができている。大手メディアにとっての正念場はコロナ後にやってくるでしょう。

板橋　大手メディアは今後、復活できると思いますか？

酒井　デジタルファーストでタダニュースに負けまいとするやり方が愚の骨頂だとわかって、新聞社がネットメディアの有料化に舵を切って、変わり出しました。記事にカネを払ってもらう以上は、読み応えのある記事、考えさせる記事、発掘型の記事、独自性のある調査報道を提供しなければなりません。有料購読者モデルに転換した結果、少しずつではありますが、新聞社のネットメディアが存在感を増してきています。

米国では２０２１年３月末で、新聞大手のニューヨークタイムズの有料購読が７８１万人になりました。紙の新聞は減っていますが、電子版の有料読者が525万人を超えました。

また、私の古巣の話で恐縮ですが、2021年1月段階で日本経済新聞電子版の有料会員数が76万人を超えました。

新興メディアの中に、カネのかかる調査報道に力を入れるところがほとんどないだけに、既存メディアの復活を実現してほしいものです。

板橋　最後に、新興メディアについてその将来性をどう考えますか？

酒井　2008年にツイッターやフェイスブックの日本語版サービスが始まりました。翌2009年には、キュレーションメディア（情報収集・整理するメディア）の「NAVERまとめ」がサービスを開始しています。

ところが、2014年から2016年にかけて、キュレーションメディアの不祥事が相次ぎました。DeNAの医療メディアがフェイクニュースを垂れ流して閉鎖。ほかのまとめサイトでも著作権違反が出て、キュレーションメディアの限界が見えました。「NAVERまとめ」は2020年に終了しました。

新興メディアの中で元気なのは、ツイッターやフェイスブック、LINEなどのソーシャルメディアです。しかし、利用者が情報発信者でもあるため、フェイクニュースも混在しています。

今後は、フェイクニュースもまき散らすソーシャルメディアの存在感がさらに拡大していくでしょう。ニュースで自分を磨く私たちは、何が真実で何がまがい物かを見極める力が、これまで以上に大事になっています。

おわりに

真実を見極める敵は、フェイクニュースとあなたの脳

「おわりに」に代えて、あなたが真実を見極めるために阻害要因になる次の「2つの敵」について説明したい。

①フェイクニュース
②あなたの脳

フェイクニュース（偽ニュース）は明らかなウソ以外に、真実と思わせるデマもある。なので、フェイクニュースの傾向と対策は知っておくと役立つ。一方で、「あなたの脳」が阻害要因になるのは、「〇〇バイアス」という心理状態が問題になる。こちらは後述する。

まずはフェイクニュースの傾向と対策から話そう。

新型コロナウイルスの感染拡大とともに、私たちを襲ってきたのは、フェイクニュースだった。未知の感染症から起こる不安が情報を拡散させた。

一番多いのは、コロナ予防法だ。

①こまめに水を飲む。
②ニンニクを食べる。
③ウイルスは熱に弱く、お湯を飲むと予防に効果がある。
④漂白剤を飲むのがコロナ治療に有効。

ニンニクの摂取は適度の量と回数なら健康度が増すこともあるが、コロナに効くという証明はどこにもない（②）。ウイルスにからめた明らかに非科学的な方法もある（③）。絶対にやってはいけない危険なニセ予防法も流布した（④）。
④は米国でのデマで、衛生当局が何度も「ニセ情報で危険」と警告したが、実行する人が絶えなかったという。死に至るデマでも信じる怖さがある。

図9　フェイクニュースの10分類

影響度が「高」

①陰謀論
恐怖や不確実さから、複雑な現実を単純化して説明しようとする。間違いだと証明しづらく、反証すると、陰謀論の信頼性が増してしまう。

②ニセ科学
見せかけの環境保護活動、奇跡の治療法、ワクチンの拒否、地球温暖化の否定。正しい科学的研究を、大げさな、または、ウソの情報でねじ曲げる。

③誤情報
事実と間違いが入り交じったコンテンツ。作成者が誤りに気づいていないこともある。誤った引用、不適切に加工されたコンテンツ、誤解を招く見出し。

④偽情報
人をだます目的で広く拡散する。

影響度が「中」

⑤党派的情報
イデオロギー的な事実の解釈を含むが、中立を装っている。自分たちに都合の良い事実を強調し、それ以外は取り上げない。感情的で情緒的な言葉を使う。

影響度が「低」

⑥風刺、架空の話
事実と混同され、読者を困惑させる。

⑦誤報
定評ある報道機関も間違えることがある。

⑧釣りタイトル
本質から外れた、刺激的で目立つ見出し。見出しが内容を反映しておらず、誤解を与えやすい。広告収入を得るために利用される。

⑨スポンサードコンテンツ
記事に見せかけた広告。明示されていなければ、広告だと見抜くのは難しい。

影響度が「場合による」

⑩プロパガンダ
政府、企業、ＮＰＯなどが、人の意識や価値観、知識に影響を与えるための手段。感情に訴えてくる。利益になることもあれば、害を及ぼすこともある。

出典：EAVI『フェイクニュースという言葉を使わず考えてみよう-10種類の情報区分』

10種類に分類されるフェイクニュース

フェイクニュースといっても幅が広い。欧州でメディアリテラシー（情報を見極める力）教育を推進する非営利団体「ＥＡＶＩ」が作成した学校用の教材「**フェイクニュースという言葉を使わず考えてみよう。10種類の情報区分**」が理解に役立つ。

一般社団法人「日本ジャーナリスト教育センター（ＪＣＥＪ）」が邦訳、無料公開しているので、それを使わせてもらう。

10種類の情報は図9の通りだ。ＥＡＶＩが影響度が大きいと判断した順番に並べた。

フェイクニュースといっても、たくさんの種類があることがわかるが、大事なポイントは、**フェイク（嘘）ではないものでもフェイクニュースの概念に含まれる**ことだ。メディアを見ていると、釣りタイトルで広告や記事を読ませようとする場面に出くわすことは多い。風刺にしても痛烈な社会批判のパロディーの場合もある。

フェイクニュースが大きな社会問題になったのは、２０１６年の米国大統領選挙のときだった。次のようなフェイクニュースが流れた。

・ローマ法王がトランプ氏の支持を表明。
・ヒラリー・クリントン氏を捜査中のＦＢＩ捜査官が無理心中。

選挙戦終盤には、主要メディアの記事を上回るほどの「いいね！」や「シェア」（情報の共有）、コメントを集めた。

ピザゲート事件という発砲事件も起きている。ヒラリー・クリントン陣営の民主党幹部らが首都ワシントンのピザ店を舞台に人身売買や児童買春に関わっているとのデマがソーシャルメディアで拡散。疑惑を信じてしまった男がピザ店に入って発砲した。

この事件が衝撃的なのは、主要メディアが「ピザ店を拠点とした児童買春の話はまったくのウソ」と報じたが、１００万回以上も「ピザゲート」という言葉がツイートされ、信じる人が多かったことだ。

ソーシャルメディアは、報道機関のメディアを圧倒的に凌駕する力がある。

続いて国内でのフェイクニュースを見る。

・2016年4月の熊本地震の際に、「おいふざけんな、地震のせいでうちの近くの動物園からライオン放たれたんだが　熊本」とSNS上に投稿された。

街中を歩くライオンの写真付きだったので、もの凄い勢いで拡散され、動物園や警察に問い合わせが殺到した。珍しく、投稿した人物が逮捕されたが、動機は「悪ふざけ」だった。

・2018年、台風21号が関西空港に大きな被害をもたらした際、空港内に閉じ込められた外国人を「中国大使館が専用バスを手配して救出した」との情報がソーシャルメディア上に出回った。

実際には、バスは関西空港が手配した。事実ではなかったが、台湾の駐日事務所が傍観していると批判する投稿が広がり、さらに台湾の大手メディアも一斉に批判したことで、矢面に立たされた台湾大阪事務所の担当者が自殺する悲劇を生んだ。

新型コロナウイルスの不安から急増

フェイクニュースが国内で増え出したのは、新型コロナウイルスが流行し始めてからだ。2020年3月下旬、次のようなフェイクニュースが流れた。

「民放各社にも連絡が入ったようで、今晩or明日の晩に安倍総理の緊急会見があり、4月1日からロックダウンという発表があるとのことです。（中略）テレビ局のプロデューサーからの情報なので、かなり確度高い情報かと思います」

これに対して当時の安倍晋三首相が「あれはフェイクニュースだ。戒厳令（を敷く）みたいな話もあるけど、日本の法律には規定されてない」と否定した。当時の菅義偉官房長官も「そうした事実はない。明確に否定する。手続きに入った事実もない」と強調した。

実際、1回目の緊急事態宣言が発令されたのは、4月7日。東京、神奈川、埼玉、千葉、大阪、兵庫、福岡の7都府県が対象で、4月16日に全国に対象を拡大した。

フェイクニュースを見破るコツの一つに「確かな情報源かどうか」がある。4月1日発令のデマは、ツイッターで流された。だが、「民放各社」とか「テレビ局のプロデューサー」とか、確かな情報源だと思わせているから、信じる人も多かった。

フェイクニュースは、実害を生むし、社会を混乱させる。民主主義の基盤である表現の自由をむしばむ。

フェイクニュースの検証を行うことで、世の中のメディアリテラシーを高める活動をしている団体がある。誤情報に惑わされない社会づくりに取り組む認定NPOの「ファクトチェック・イニシアチブ」だ。この団体が新型コロナウイルスに関連するフェイクニュースを検証している。その事例を取り上げてみよう。

・ワクチンの中身は水銀、妊娠何週目かの墜胎した子供の細胞など、怪しいのが混じってる。他の疾患にかかりやすくなるかも（2021年3月4日ごろ、ツイッターで拡散）。

「墜胎」は「堕胎」のことらしいが、原文のまま紹介している。

このツイッターを検証したのは、ネットメディアの「バズフィード」。「ファクトチェック・イニシアチブ」に協力している。次のように判断した。

・現段階（2021年4月時点）で接種が進められているファイザー・ビオンテック社製、モデルナ社製のmRNA（メッセンジャーRNA）新型コロナワクチンについては「保存剤」と呼ばれる成分が含まれていない。そのため、チメロサールといった水銀を成分に持つ防腐剤も含まれていない。「墜胎した子どもの細胞を使う」という情報やワクチン接種をすることで「他の疾患にかかりやすくなる」といった情報も事実ではない。

次の情報も広く拡散された。

・菅首相がうったワクチンは偽物（2021年3月16日ごろ、ソーシャルメディアで拡散）。

バズフィードはフェイクニュースと判断している。

・首相に接種をされた氏家無限医師は本物のワクチンを接種したと証言している。食塩水をうっている、注射器を接種寸前に入れ替えているといったこの手のデマは、以前より他のワクチンに対しても発信され続けている、よくある言説であることに注意すべきだ。

フェイクニュースは各国の政府を悩ますテーマだ。各国には、「ファクトチェック・イニシアチブ」のような団体ができて、ニュースの真偽を調べている。しかし、フェイクニュースは日々作られているので、私たちは自己防衛するしかない。

SNSで無自覚に拡散されるうちに「真実」に……

新型コロナウイルスがらみでどんな偽ニュースが信じられたのか。野村総合研究所がフェイクニュースについてアンケート調査した報告書がある。そこから「間違った情報や誤解を招く情報」の典型的な事例を紹介する。2021年3月の調査データだ。

回答者が「正しい情報と思った」割合。

・29％ ビタミンDは新型コロナウイルス予防に効果がある。
・25％ こまめに水を飲むと新型コロナウイルス予防に効果がある。
・24％ 死体を燃やした時に発生する二酸化硫黄（亜硫酸ガス）の濃度が武漢周辺で大量に検出された。

回答者が「正しい情報と思った」だけでなく、「正しい情報かどうかわからなかった」を足した割合。

・59％ お茶・紅茶を飲むと新型コロナウイルス予防に効果がある。
・55％ 納豆を食べると新型コロナウイルス予防に効果がある。
・64％ 新型コロナウイルスについて、中国が「日本肺炎」という呼称で広めようとしている。

中国がからんだフェイクニュースは、明らかにウソだとわかりそうなものでも、信じている人が多いのには驚く。中国に対する日本人のネガティブな意識が働いているのだろうか。

野村総研の分析によれば、情報の真偽が不明な場合でも、「興味深い」「人の役に立つ」「注意喚起」といった理由で共有・拡散する人が一定数いた。情報の真偽がわからなくても、家族、友人、同僚などに情報を伝える場合が多いのだ。

フェイクニュースの怖さは、半信半疑の人が情報を流しても、拡散していくうちに、「真実」に変わってしまうソーシャルメディアの特性にある。

アンケート調査では、どんなメディアでフェイクニュースを見たり聞いたりしたかを尋ねている。多かった順番に並べてみた。

- **57％ ツイッター**
- **34％ ブログやまとめサイト**
- **31％ ヤフーニュース**
- **30％ テレビ・ラジオの民間放送**
- **28％ フェイスブック**

家族、友人、同僚とのＬＩＮＥトーク（18％）や会話・電話・メール（20％）は意外と少ない。新聞でフェイクニュースを見かけた人もいる（13％）。

このアンケートで明らかになったのは、出回っている情報を集めるだけのキュレーションメディアにフェイクが多いことだ。しかし、新聞、テレビ、ラジオなど本来、情報の真偽をチェックしているメディアもフェイクニュースを流しているのが事実なら、大問題だ。

分断を煽ったアメリカ前大統領も大きな原因に

事実をフェイクニュースと言い逃れするので有名になったのが、トランプ前米大統領だった。メディアが真実に迫るたびに「フェイクニュースだ」と発言した。

・ニューヨークタイムズが独自に入手したトランプ大統領の納税申告書にもとづき、大統領が就任前の15年のうち10年にわたり所得税を支払っていなかったと報じた。

この直後、トランプ前大統領は記者会見で、
「すべてフェイクニュースだ」

と否定した。

ニューヨークタイムズが納税申告書の情報を得ての報道なので、真実なのだろう。ただ、歴代大統領が開示するのが慣例となっていた大統領の納税記録の開示を拒んでいるため、真相はバイデン政権の追及に持ち越されたままだ。

私たちが「情報弱者」や「情報被害」にならないためには、自分で自分を守るしかない。あえていえば、フェイクニュースと疑う記事が出てきたら、その記事を材料に自分なりに調べてみて、フェイクニュースの背景を深く追ってみることで、新しい発見を得られるはずだ。ここまで本書を読んだ読者ならその力は身に付いている。

悪意なき加害者になることを防ぐために

見極める力にとって二つ目の敵、あなたの脳について考えていこう。

フェイクニュースの話題が出ると、私たちは、自分が「加害者」になることはないと思っている。しかし、**あなたが「悪意なき加害者」になる場合もある。**

それは、人間の認知特性（あなた自身の心理、クセ、習慣）によってもたらされる。次のような心の動きだ。

・意図せず偏った情報を選んでしまう。
・間違った情報を本当だと思ってしまう。
・怪しい情報でも事実だと思いたい気持ちになる。
・正しい情報だと思ってフェイク情報を流してしまう。

なぜこのようなことが起きるのか。あなたの心をあらぬ方向に動かす「脳の騙し」について、用語別に解説していこう。

自分の思い込みや考え方の偏りによって、非合理的な判断をしてしまう心理現象に「**認知バイアス**」がある。バイアスとは「偏り」のことだが、認知バイアスには、「**確証バイアス**」や「**正常性バイアス**」「**同調性バイアス**」「**後知恵バイアス**」「**自己奉仕バイアス**」などいろいろな偏り思考がある。

①正常性バイアス・同調性バイアス

総務省が情報通信白書の「平成30年7月豪雨の教訓とICT」の中で、災害とバイアスの関係を明らかにしている。

「平成30年7月豪雨」とは、一般に「西日本豪雨」と呼ばれる災害だ。

この豪雨は、死者237名を出した大災害だった。2018年6月28日から7月8日まで西日本を中心に広範囲で記録的な大雨となり、住宅の損壊・浸水家屋は5万棟に達した。

ここでのテーマは、避難がなぜ遅れたか、だ。

豪雨の際、避難勧告が出されていた。ハザードマップで被害が予測されていた。にもかかわらず、住民の避難が遅れ、犠牲者が出た。なぜか。それが、その後の研究対象となった。

「**避難が遅れた要因としては、正常性バイアスや情報過多が指摘されている**」と情報通信白書は指摘する。**正常性バイアスは、自分に都合の悪い情報を無視してしまう現象のこと。**よく災害時の行動に関して言及されることが多い。

情報通信白書の中で、住民の正常性バイアスの思い込み発言を紹介している。情報源は、三友仁志編著『大災害と情報・メディア』(勁草書房)だ。

「**自分が災害に遭うとは思っていなかった**」

「**隣の人が逃げていないから大丈夫だと思った**」

西日本豪雨では、家の中で溺死したケースが多かった。「隣の人が逃げていない」という情報が次々と周囲に伝わり、被害を大きくした。

情報通信白書は、三友氏らの書籍から次のように紹介している。

「心理学では、自分だけは大丈夫だと思い込むことを『正常性バイアス』、隣の人が逃げないから自分が大丈夫だと思い込むことを『同調性バイアス』、想定外のことに頭が真っ白になって反応ができなくなってしまうことを『凍り付き症候群』と呼ぶことがあるが、いずれも人間の心の傾向の問題であり、大きな災害が発生する度に繰り返し指摘されている」

人間はしばしば、事実や数字よりも直感やストーリー（自分の思い描くこと）をもとに判断するため、正常性バイアスのわなにひっかかる。

だから、**事実を突き詰め、数字にもとづいた論理展開をすることが大事になる。**

ほかのバイアスについても簡単に触れておく。

②確証バイアス

自分にとって都合のいい情報ばかりを無意識的に集めてしまうことだ。一言で言えば、「先入観」「思い込み」。これは養老孟司さんのベストセラー『バカの壁』（新潮社）のコンセプトだ。「バカの壁」とは、自分の脳がほしくない情報を遮断してしまうことを指している。知的好奇心で「なんでも知ってやろう、見てやろう」という気持ちはなく、「これ以上は知らなくても大丈夫」と脳が壁をつくるのだ。

③後知恵バイアス

物事が起きたあとで「そうだと思ってたよ」などと、自分が予測していたように考える心理のこと。

④自己奉仕バイアス

成功したときは自分の優れた能力のおかげで、失敗したときは自分の責任ではなく「環境が悪かった」と外部要因のせいにする心理のこと。誰にでも起こり得そうな心理状態だ。

⑤エコーチェンバー

この言葉はもともと、反響音や残響音などを録音するための部屋のことを意味する。反響音がする部屋をイメージしてほしい。狭い部屋の中で、音が壁にはね返り、何度も同じ音を耳にする。そこから転じ、SNSで特に、**自分と似た考えばかりが集約されて、意見が増幅されていくことをエコーチェンバーという。**

SNS上で、自信はないが喋りたくて、ある意見、ある情報を発信してみる。すると、「そうだね」「私もそう思っていた」「その意見、すごい」と反応が来ると、あやふやだった自信は確信に変わり、いつしか、自分自身でも信じるようになる。

⑥フィルターバブル

インターネットで利用者の思想や行動特性に合わせた情報ばかりが作為的に表示される現象のこと。

バブルは泡のことで、あるフィルターを通して、ある泡の中に閉じ込められているイメージだ。具体的には、検索エンジンの問題もある。自分は客観的にネット検索しているつもりでも、検索エンジン側があなたの検索履歴、購買履歴などの過去情報にもとづいて、あなたが好みそうな順番で検索結果を配列していく。

エコーチェンバーもフィルターバブルも正常性バイアスも確証バイアスも、概念としては近い言葉だ。自分の好みの情報しか相手にせず、似た者同士がお互いに「いいね」を押して自信を深め、さらに似たような情報を発信していく無限ループのような魔術である。

こうしたSNSの「似た者同士サークル」が、株価まで大きく動かす時代になっている。そのことを象徴する事件が、2021年1月に起きた。

米国の**ゲームストップ事件**だ。

ゲームストップは米国の大手ゲームソフト企業のこと。この会社の株を巡って、個人投資家とウォール街のヘッジファンドなどプロの投資家が対決。最後は個人投資家が勝利し、ヘッジファンドは大損して敗れた。

事の始まりは、ヘッジファンドなどプロ投資家が、ゲームストップ株が下落するとみて、空売りを仕掛けたことだ。空売りは、株が下落するときに儲かる。

これに怒ったのが、ゲームストップのゲームが好きな若者たち。舞台になった「レディット」と呼ばれるSNSの掲示板「ウォールストリート・ベッツ」（ウォールストリートでの賭けの意味）上で、「ゲームストップ株を買おう」と盛り上がった。

その呼びかけに応じたのが、米国の新興証券会社「ロビンフッド・フィナンシャル」の利用者たちだった。1000万人の利用者がいるが、8割は若手世代だ。手数料が無料で1株未満で取り引きできる手軽さが若者たちを引きつけた。しかも、スマホの取引画面は、SNS風になっていて、若者たちに馴染みやすい。

若者たちが結束してゲームストップ株を買い戻し、2021年1月中旬には、株価が50％以上急騰した。

レディットというSNSを使った拡散力も凄かったが、電気自動車テスラのCEOのイーロン・マスクが賛同しツイートしたことで、またたく間に「ヘッジファンド叩き」が広がった。

これで空売りに大量の資金を投じていたヘッジファンドが2兆円近い損失を出すなど、若者投資家たちの勝利に終わった。

この事件はその後、新しい展開を見せていく。ロビンフッドが、ゲームストップなど急騰銘柄の取引制限を実施。それで損失を被った利用者がロビンフッドを訴えた。

このゲームストップ事件こそ、**若者たちがある特定の掲示板という部屋の中で共鳴し合ったエコーチェンバー現象**だ。

この事例を見れば、「エコーチェンバー」「フィルターバブル」も悪くないように映るが、同一の思想に染まり、過激な行動に出るあたりは、ヒトラーが扇動し、ドイツ国民を動かしたナチスの行動を彷彿とさせる。

そこまで大げさな話でなくても、**ニュースを読む際も、自分の好みのニュースだけを選び、自分の意に沿わないニュースは遠ざけることがないか、自分自身を冷静に見る必要がある。**

世の中の出来事を深く理解しようとする作業は、自分自身を心理的呪縛から解き放つことでもある。

どうか、フェイクニュースにもあなたの脳にも騙されないように、気をつけてほしい。

おわりに

酒井綱一郎（さかい・こういちろう）

1957年、東京生まれ。国際基督教大学卒業後、毎日新聞東京本社入社。運動部記者を経て、88年日経BP社に。日経ビジネス編集部記者、副編集長ののち、96年から99年までニューヨーク支局長を務める。2001年、日経ビジネス編集部長となり、04年から日経ビジネス発行人を務めた。現在はフリーランスのジャーナリストで、TBSラジオ「森本毅郎スタンバイ！」のコメンテーターを務める。ほかに国際基督教大学理事、社会福祉法人愛光理事、世界の子どもにワクチンを日本委員会理事など幅広く活動している。著書に『ドラッカーさんが教えてくれた経営のウソとホント』（日経ビジネス人文庫）などがある。

新聞、テレビ、ネットのニュースに“違和感”を持つすべての人に
真実を見極める力

2021年7月21日　初版発行

著　者　酒井綱一郎
発行者　野村直克
発行所　総合法令出版株式会社
〒103-0001 東京都中央区日本橋小伝馬町15-18
EDGE小伝馬町ビル9階
電話　03-5623-5121
印刷・製本　中央精版印刷株式会社

ISBN 978-4-86280-808-0
総合法令出版ホームページ　http://www.horei.com/